A-Z PRE

CONTENT

REFERENCE

Motorway	M55	Car Park (Selected)	Ⓟ
A Road	A583	Church or Chapel	†
Proposed		Fire Station	■
B Road	B6241	Hospital	Ⓗ
Dual Carriageway		House Numbers (A & B Roads only)	246 213
One-way Street Traffic flow on A roads is indicated by a heavy line on the drivers' left.	→	Information Centre	🛈
		National Grid Reference	⁴35
Restricted Access		Police Station	▲
Pedestrianized Road		Post Office	★
Track & Footpath		Toilet	▽
		with facilities for the disabled	♿
Residential Walkway		Educational Establishment	
Railway	Station / Level Crossing	Hospital or Hospice	
Built-up Area	HYDE RD	Industrial Building	
		Leisure or Recreational Facility	
Local Authority Boundary		Place of Interest	
		Public Building	
Postcode Boundary		Shopping Centre or Market	
Map Continuation	16	Other Selected Buildings	

SCALE

1:19000 3.33 inches to 1 mile   5.26cm to 1km   8.47cm to 1 mile

0   ¼   ½   ¾   1 Mile

0   250   500   750   1000   1250   1500 Metres

Geographers' A-Z Map Company Limited

Head Office :
Fairfield Road, Borough Green, Sevenoaks, Kent TN15 8PP
Tel: 01732 781000 (General Enquiries & Trade Sales)
Showrooms :
44 Gray's Inn Road, London WC1X 8HX
Tel: 020 7440 9500 (Retail Sales) ·
www.a-zmaps.co.uk

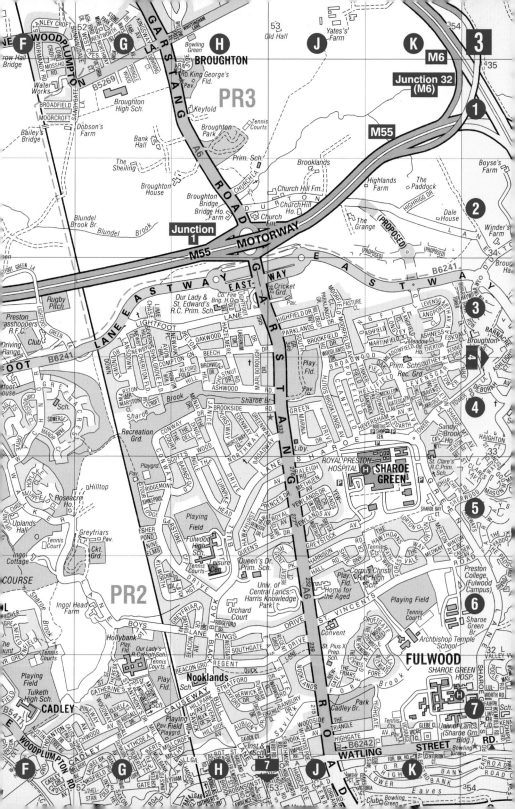

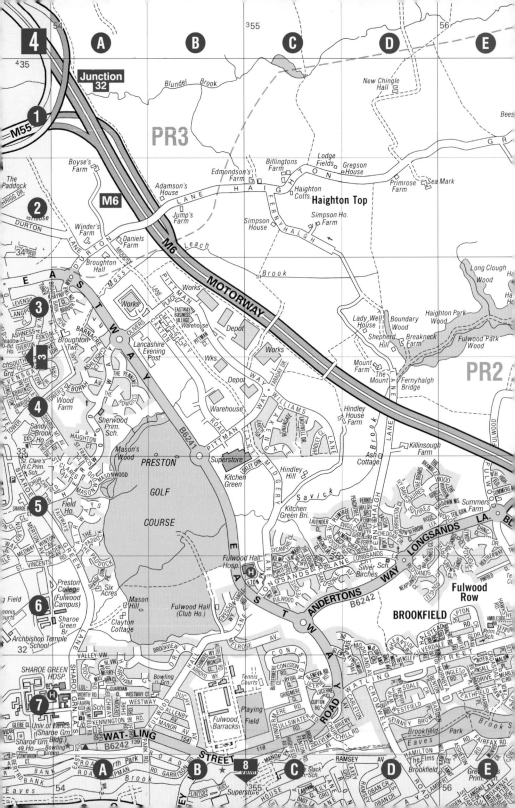

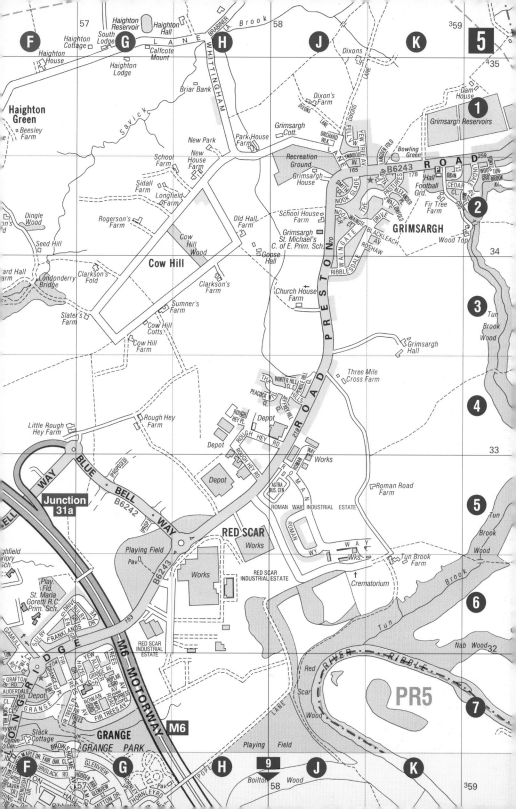

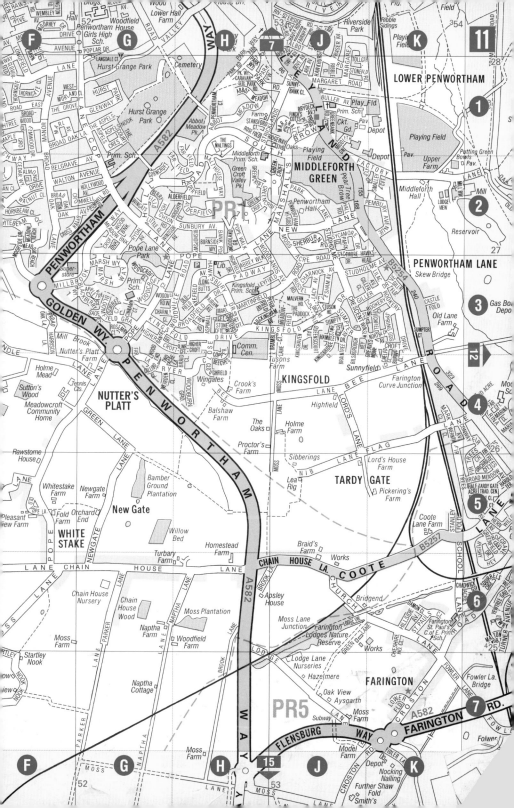

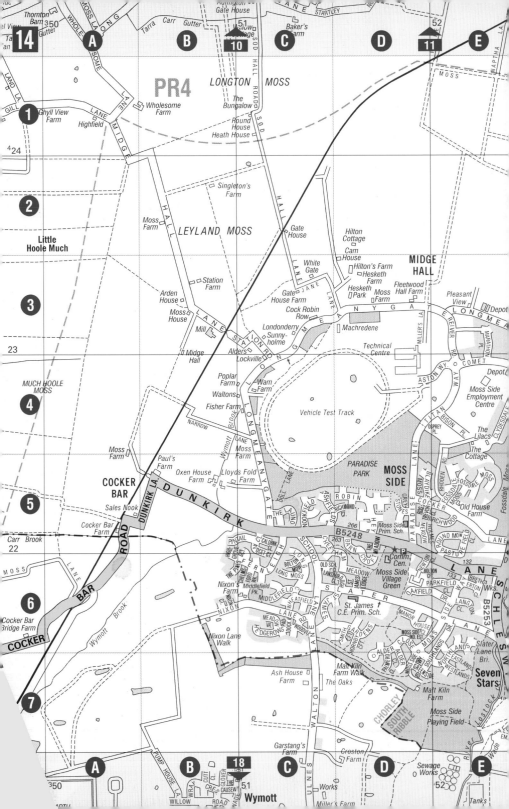

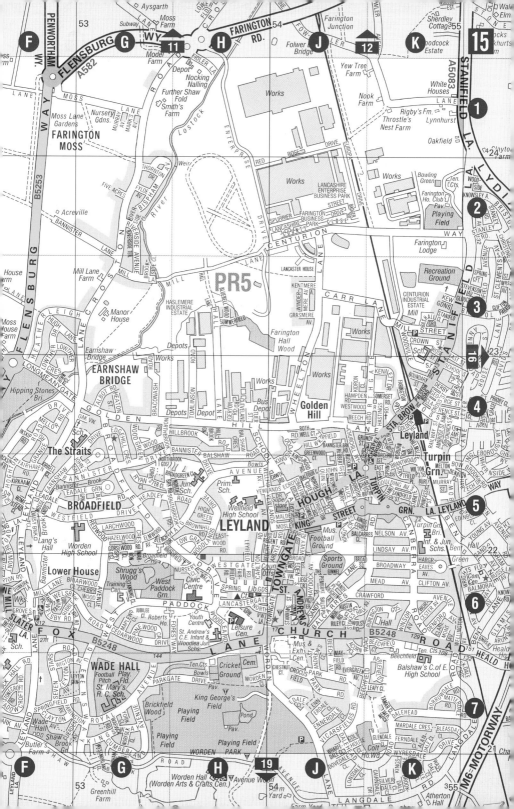

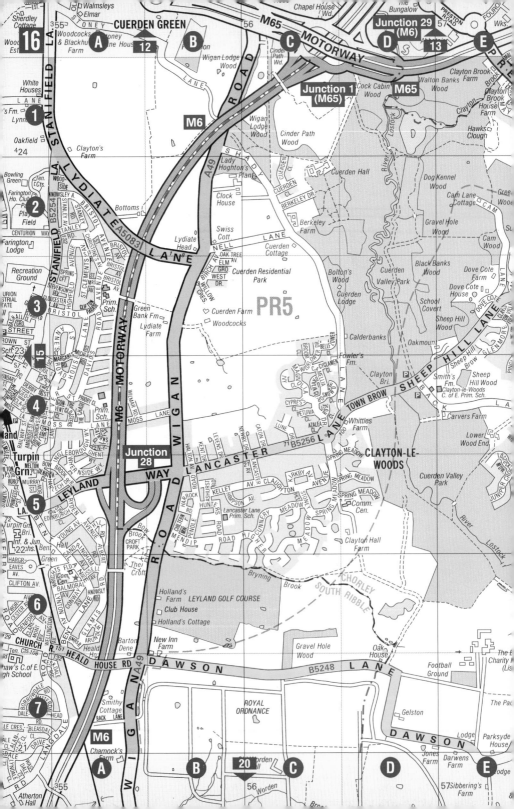

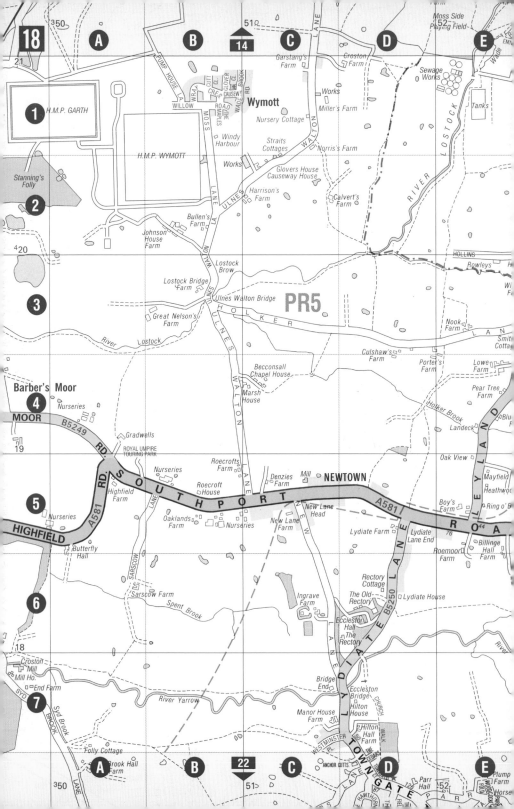

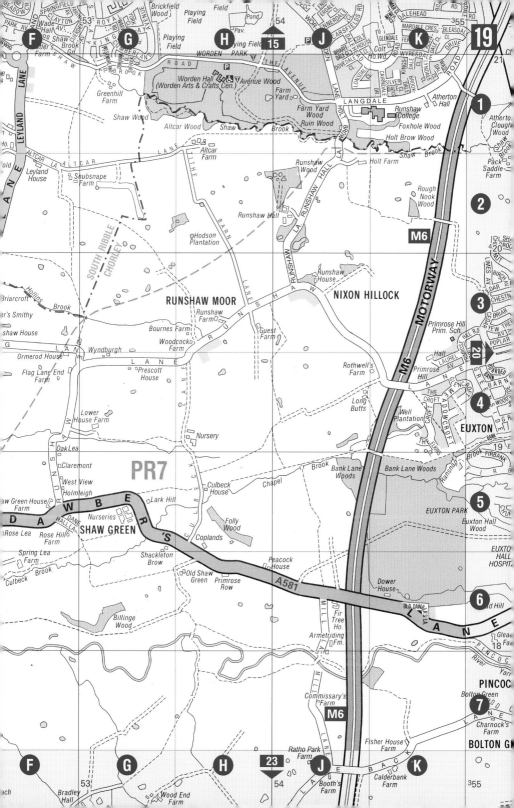

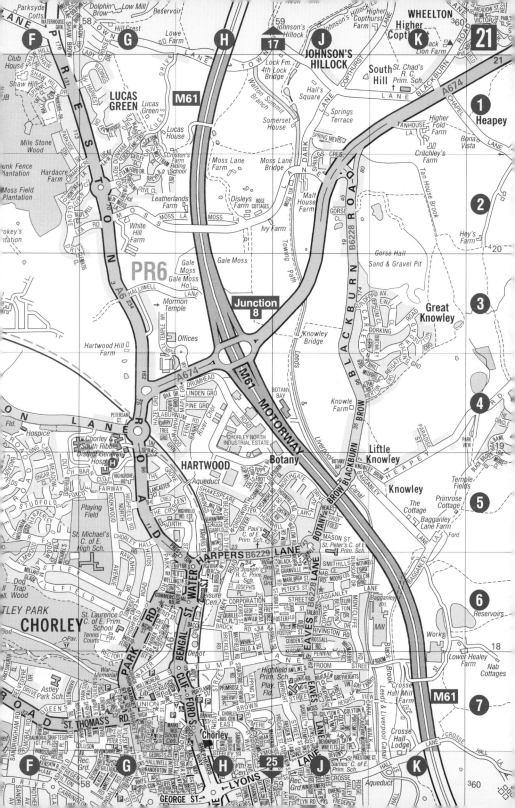

INDEX

Including Streets, Selected Subsidiary Addresses
and Selected Places of Interest.

HOW TO USE THIS INDEX

1. Each street name is followed by its Posttown or Postal Locality and then by its map reference;
   e.g. Abbotsway. *Pen* —6G **7** is in the Penwortham Posttown and is to be found in square 6G on page **7**.
   The page number being shown in bold type. A strict alphabetical order is followed in which Av., Rd., St., etc.
   (though abbreviated) are read in full and as part of the street name; e.g. Alderfield appears after Alder Dri.
   but before Alder Gro.

2. Streets and a selection of Subsidiary names not shown on the Maps, appear in the index in *Italics* with the thoroughfare to
   which it is connected shown in brackets; e.g. *Adelphi Ho. Pres*—3J **7** *(off Adelphi St.)*

3. An example of a selected place of interest is **Ashton & Lea Golf Course**—2A **6**

GENERAL ABBREVIATIONS

All : Alley
App : Approach
Arc : Arcade
Av : Avenue
Bk : Back
Boulevd : Boulevard
Bri : Bridge
B'way : Broadway
Bldgs : Buildings
Bus : Business
Cvn : Caravan
Cen : Centre
Chu : Church
Chyd : Churchyard
Circ : Circle
Cir : Circus
Clo : Close
Comn : Common
Cotts : Cottages

Ct : Court
Cres : Crescent
Cft : Croft
Dri : Drive
E : East
Embkmt : Embankment
Est : Estate
Fld : Field
Gdns : Gardens
Gth : Garth
Ga : Gate
Gt : Great
Grn : Green
Gro : Grove
Ho : House
Ind : Industrial
Info : Information
Junct : Junction
La : Lane

Lit : Little
Lwr : Lower
Mc : Mac
Mnr : Manor
Mans : Mansions
Mkt : Market
Mdw : Meadow
M : Mews
Mt : Mount
Mus : Museum
N : North
Pal : Palace
Pde : Parade
Pk : Park
Pas : Passage
Pl : Place
Quad : Quadrant
Res : Residential
Ri : Rise

Rd : Road
Shop : Shopping
S : South
Sq : Square
Sta : Station
St : Street
Ter : Terrace
Trad : Trading
Up : Upper
Va : Vale
Vw : View
Vs : Villas
Vis : Visitors
Wlk : Walk
W : West
Yd : Yard

POSTTOWN AND POSTAL LOCALITY ABBREVIATIONS

Adl : Adlington
Ash R : Ashton-on-Ribble
Bam B : Bamber Bridge
Bis : Bispham
Breth : Bretherton
Brin : Brindle
Brough : Broughton
Char R : Charnock Richard
Chor : Chorley
Clay W : Clayton-le-Woods
Cop : Coppull
Cot : Cottam
Crost : Croston
E'ston : Eccleston

Eux : Euxton
Far : Farington
Far M : Farington Moss
Ful : Fulwood
Goos : Goosnargh
Grims : Grimsargh
Haig : Haighton
H'pey : Heapey
Hesk : Heskin
High B : Higher Bartle
High W : Higher Walton
Hogh : Hoghton
Hut : Hutton

Ing : Ingol
Lea : Lea
Lea T : Lea Town
Ley : Leyland
L Grn : Lightfoot Green
L Hoo : Little Hoole
Longt : Longton
Los H : Lostock Hall
Lwr B : Lower Bartle
Maw : Mawdesley
Mel B : Mellor Brook
Midg H : Midge Hall
M Side : Moss Side
New L : New Longton

Pen : Penwortham
Pres : Preston
Rib : Ribbleton
Sam : Samlesbury
Stand : Standish
Walt D : Walton-le-Dale
Wheel : Wheelton
Wstke : Whitestake
W'ham : Whittingham
Whit W : Whittle-le-Woods
Wood : Woodplumpton
Wrigh : Wrightington

INDEX

Abbey St. *Ash R* —4H **7**
Abbey Wlk. *Pen* —3H **11**
Abbot Mdw. *Pen* —1H **11**
Abbotsway. *Pen* —6G **7**
Abbott Cft. *Ful* —4E **2**
Abingdon Dri. *Ash R* —3E **6**
Acacia Rd. *Rib* —2E **8**
Acer Gro. *Rib* —1F **9**
Ackhurst Bus. Pk. *Chor* —7D **20**
Ackhurst Pk. Ind. Est. *Chor*
    —7D **20**
Ackhurst Rd. *Chor* —7D **20**
Acorn Clo. *Ley* —6J **15**
Acrefield. *Bam B* —1G **17**
Acregate La. *Pres* —3D **8**
Acreswood Clo. *Cop* —7C **24**
Adelaide St. *Pres* —4B **8**
Adelphi Ho. Pres —3J **7**
    (off Adelphi St.)
Adelphi Pl. *Pres* —4K **7**
Adelphi St. *Pres* —3J **7**
Agnes St. *Pres* —4A **8**
Ainscough Brook Ho. Rib —1F **9**
    (off Ribbleton Hall Cres.)
Ainsdale Dri. *Ash R* —2B **6**
Ainslie Rd. *Ful* —1H **7**
Alandale Clo. *Ley* —7K **15**

Albany Dri. *Walt D* —3D **12**
Albatross St. *Pres* —2B **8**
Albert Rd. *Ful* —1K **7**
Albert Rd. *Ley* —5A **16**
Albert Rd. *Pres* —2K **7**
Albert St. *Chor* —1H **25**
Albert Ter. *High W* —1H **13**
Albert Ter. *Pres* —3A **8**
Albion St. *Chor* —1G **25**
Albrighton Clo. *Los H* —6B **12**
Albrighton Cres. *Los H* —6B **12**
Albrighton Rd. *Los H* —6B **12**
Albyn Bank Rd. *Pres* —5B **8**
Albyn St. E. *Pres* —5B **8**
Alcester Av. *Pen* —7G **7**
Aldate Gro. *Ash R* —2E **6**
Aldcliffe Rd. *Ash R* —3C **6**
Alder Clo. *Ley* —6D **14**
Alder Coppice. *Lea* —1C **6**
Alder Dri. *Char R* —5B **24**
Alder Dri. *Hogh* —4K **13**
Alderfield. *Pen* —2H **11**
Alder Gro. *Cop* —7D **24**
Alder Rd. *Rib* —7G **5**
Aldersleigh Cres. *Hogh* —4K **13**
Aldfield Av. *Lea* —3A **6**
Aldred St. *Chor* —1H **25**

Aldwych Dri. *Ash R* —2D **6**
Aldwych Dri. *Los H* —6B **12**
Alert St. *Ash R* —3G **7**
Alexander Pl. *Grims* —2K **5**
Alexandra Pavilions. *Pres* —3A **8**
Alexandra Rd. *Walt D* —2D **12**
Alexandra St. *Pres* —5C **8**
Alford Fold. *Ful* —4H **3**
Alfred's Ct. *Chor* —1G **25**
Alice Av. *Ley* —5J **15**
Alice Sq. *Pres* —3A **8**
Alker La. *Chor* —4E **20**
Alker St. *Chor* —1G **25**
Allenby Av. *Ful* —7B **4**
Allengate. *Ful* —7K **3**
Allerton Rd. *Walt D* —2D **12**
Allington Clo. *Walt D* —2F **13**
Alma Clo. *Char R* —4C **24**
Alma Row. *Hogh* —4K **13**
Alma St. *Pres* —2A **8**
Almond Clo. *Ful* —5C **4**
Almond Clo. *Pen* —2F **11**
Almond St. *Pres* —4A **8**
Alpine Av. *Los H* —6B **12**
Alpine Clo. *Los H* —6B **12**
Alpine Rd. *Chor* —4J **21**
Alsop St. *Pres* —2K **7**

Alston St. *Pres* —3D **8**
Altcar La. *Ley* —2F **19**
Alvern Av. *Ful* —7H **3**
Alvern Cres. *Ful* —7H **3**
Ambergate. *Ing* —5D **2**
Ambledene. *Bam B* —7G **13**
Ambleside Av. *Eux* —6B **20**
Ambleside Clo. *Walt D* —3E **12**
Ambleside Rd. *Rib* —6E **4**
Ambleside Wlk. *Rib* —6E **4**
Ambleway. *Walt D* —1D **12**
Ambrose St. *Ley* —4K **15**
Amersham Clo. *New L* —5D **10**
Ampleforth Dri. *Los H* —4A **12**
Anchor Cotts. *E'ston* —1C **22**
Anchor Ct. *Pres* —5K **7**
Anchor Dri. *Hut* —3B **10**
Anderton Rd. *Eux* —6B **20**
Anderton St. *Chor* —1G **25**
Andertons Way. *Ful* —6C **4**
Andrew St. *Pres* —3C **8**
Aniline St. *Chor* —7J **21**
Annis St. *Pres* —4C **8**
Ansdell Gro. *Ash R* —1G **7**
Ansdell St. *Pres* —3C **8**
Appleby Clo. *Hogh* —4K **13**
Appleby St. *Pres* —3K **7**

Applefields. *Ley* —7K **15**
Appletree Clo. *Pen* —3G **11**
Aqueduct Mill Ind. Est. *Pres* —3H **7**
Aqueduct St. *Pres* —3H **7**
Aqueduct St. Ind. Est. *Pres* —3J **7**
Archibald All. *Pres* —4K **7**
Archway Bldgs. *Ash R* —3E **6**
Arcon Rd. *Cop* —7C **24**
Ardee Rd. *Pres* —6H **7**
Argyle Rd. *Ley* —6J **15**
Argyll Rd. *Pres* —3A **8**
Arkwright Rd. *Pres* —2K **7**
Arley St. *Chor* —7H **21**
Armstrong St. *Ash R* —2F **7**
Arnhem Rd. *Pres* —4D **8**
  (in two parts)
Arnold Clo. *Rib* —2E **8**
Arnold Pl. *Chor* —3E **24**
Arno St. *Pres* —5B **8**
Arnott Rd. *Ash R* —2G **7**
Arnside Rd. *Ash R* —2C **6**
Arnside Rd. *Brough* —1H **3**
Arroyo Way. *Ful* —7B **4**
Arthur St. *Chor* —1H **25**
Arthur St. *Pres* —5J **7**
Arundel Pl. *Pres* —5A **8**
Arundel Way. *Ley* —6A **16**
Ashbourne Cres. *Ing* —6E **2**
Ashby St. *Clay W* —3G **25**
Ashdown Dri. *Clay W* —3G **17**
Ashdown M. *Ful* —5E **4**
Asheldon St. *Pres* —3D **8**
Ashfield. *Clay W* —3G **17**
Ashfield. *Ful* —3K **3**
Ashfield Ct. *Ing* —5D **2**
Ashfield Rd. *Chor* —1F **25**
Ashfields. *Ley* —5C **14**
Ashford Cres. *Brough* —1G **3**
Ashford Rd. *Ash R* —2A **6**
Ash Gro. *Bam B* —4F **13**
Ash Gro. *Chor* —3G **25**
Ash Gro. *New L* —7D **10**
Ash Gro. *Pres* —3E **8**
Ash Holme. *Pres* —1C **8**
Ashleigh Ct. *Ful* —4A **4**
Ashleigh St. *Pres* —5C **8**
Ash Mdw. *Lea* —1B **6**
Ashmoor St. *Pres* —3J **7**
Ashness Clo. *Ful* —3A **4**
Ash Rd. *Cop* —7C **24**
Ashton & Lea Golf Course. —2A **6**
Ashton Clo. *Ash R* —3E **6**
Ashtongate. *Ash R* —3C **6**
Ashton St. *Ash R* —4H **7**
Ashtree Ct. *Ful* —7E **2**
Ashtree Ct. *High W* —2J **13**
Ashtree Gro. *Pen* —1F **11**
Ashurst Rd. *Ley* —5B **16**
Ashwood Rd. *Ful* —4H **3**
Ashworth Ct. *Pres* —6B **8**
Ashworth Gro. *Pres* —6C **8**
Ashworth La. *Pres* —6B **8**
Ashworth St. *Bam B* —3F **13**
Ashworth St. *Pres* —5B **8**
Asland Clo. *Bam B* —5F **13**
Aspden St. *Bam B* —4E **12**
Aspels Cres. *Pen* —1G **11**
Aspels Nook. *Pen* —1G **11**
Aspels, The. *Pen* —1G **11**
Aspen Gdns. *Chor* —2F **25**
Aspinall Clo. *Pres* —3H **11**
Asshawes, The. *Hth C* —7K **25**
Assheton Pl. *Rib* —7E **4**
Astley Hall Mus. & Art Gallery.
  —6E **20**
Astley Rd. *Chor* —6F **21**
Astley St. *Chor* —6G **21**
Aston Way. *M Side* —4D **14**
Astra Bus. Cen. *Rib* —5J **5**
Athelstan Fold. *Ful* —1G **7**
Atherton Rd. *Ley* —6F **15**
Athol Gro. *Chor* —2J **25**
Atholl St. *Pres* —4H **7**
Aubigny Dri. *Ful* —7H **3**
Aughton Wlk. *Pres* —3K **7**
Austin Clo. *Ley* —6J **15**
Austin Cres. *Ful* —7E **4**
Avalwood Av. *Longt* —5A **10**
Avenham Colonnade. *Pres* —6A **8**

Bk. Ashby St. *Chor* —2H **25**
Bk. Fazakerley St. *Chor* —7G **21**
Bk. Grimshaw St. *Pres* —5A **8**
Back La. *Char R* —2H **23**
Back La. *Clay W* —4D **16**
  (in two parts)
Back La. *Ley* —7A **16**
Back La. *Maw* —7A **22**
Back La. E. *Maw* —7A **22**
Back Mt. *Chor* —7G **21**
Bk. Seed St. *Pres* —4K **7**
Bk. Starkie St. *Pres* —6K **7**
Badger Rd. *Ley* —2J **15**
Badgers Cft. *Rib* —2F **9**
Badgers Wlk. *Eux* —4F **21**
Badgers Way. *Los H* —2B **12**
Bagganley La. *Chor* —5J **21**
  (in two parts)
Bagnold Rd. *Pres* —3D **8**
Bairstow St. *Pres* —5K **7**
Baker St. *Cop* —7C **24**
Baker St. *Ley* —4K **15**
Balcarres Clo. *Ley* —5J **15**
Balcarres Pl. *Ley* —6J **15**
Balcarres Rd. *Ash R* —1G **7**
Balcarres Rd. *Chor* —3F **25**
Balcarres Rd. *Ley* —6J **15**
Balderstone Rd. *Pres* —7H **7**
Baldwin St. *Bam B* —4E **12**
Balfour Ct. *Ley* —5J **15**
Balfour Rd. *Ful* —1J **7**
Balfour St. *Ley* —5J **15**
Ballam Rd. *Ash R* —3C **6**
Balmoral Av. *Ley* —6A **16**
Balmoral Ct. *Chor* —7F **21**
Balmoral Rd. *Chor* —7F **21**
Balmoral Rd. *E'ston* —1E **22**
Balmoral Rd. *New L* —4E **10**
Balmoral Rd. *Walt D* —2D **12**
Balniel Clo. *Chor* —1F **25**
Balshaw Av. *Eux* —5B **20**
Balshaw Cres. *Ley* —4H **15**
Balshaw La. *Eux* —6B **20**
Balshaw Rd. *Ley* —5H **15**
Balshaw St. *Bam B* —3E **12**
Bamber Bri. By-Pass. *Bam B*
  —6E **12**
Bamber St. *Chor* —3F **25**
Bambers Yd. *Pres* —5K **7**
Banastre. *Chor* —5B **8**
Banbury Dri. *Ful* —7J **3**
Bank Head La. *Bam B & Hogh*
  —5J **13**
Bank La. *Eux* —4A **20**
Bank Pde. *Pen* —2H **11**
Bank Pde. *Pres* —6A **8**
Bank Pl. *Ash R* —3G **7**
Banksfield Av. *Ful* —1G **7**
Banksfield Pl. *Bam B* —6G **13**
Bankside. *Clay W* —5F **17**
Banks Rd. *Ful* —1G **7**
Bank St. *Chor* —7G **21**
Banner Clo. *E'ston* —1D **22**
Bannerman St. *Chor* —5H **21**
Bannister Brook Ho. *Ley* —4J **15**
Bannister Clo. *High W* —1H **13**

Bannister Dri. *Ley* —5F **15**
Bannister Grn. *Hesk* —6D **22**
Bannister Hall Cres. *High W*
  —1H **13**
Bannister Hall Dri. *High W* —1H **13**
Bannister Hall La. *High W* —1H **13**
Bannister Hall Works. *High W*
  —1J **13**
Bannister La. *E'ston* —3E **22**
Bannister La. *Far M* —2F **15**
Bannisters Bit. *Pen* —3G **11**
Bannister St. *Chor* —1G **25**
Bar Club St. *Bam B* —6E **12**
Barden Pl. *Rib* —7D **4**
Bardsea Pl. *Ing* —1D **6**
Barleyfield. *Bam B* —3G **17**
Barlow St. *Pres* —2J **7**
  (Brook St., in two parts)
Barlow St. *Pres* —2K **7**
  (Garstang Rd.)
Barmskin La. *Hesk* —7D **22**
Barnacre Clo. *Ful* —3A **4**
Barn Cft. *Ley* —5D **14**
Barn Cft. *Pen* —7F **7**
Barnfield. *Los H* —5A **12**
Barn Mdw. *Bam B* —7H **13**
Barnsfold. *Ful* —5H **3**
Barnside. *Eux* —4B **20**
Barnstaple Way. *Cot* —5D **2**
Barons Way. *Eux* —5B **20**
Barry Av. *Ing* —1D **6**
Bartle La. *Lwr B* —4A **2**
Bartle Pl. *Ash R* —3C **6**
Bashall Gro. *Far* —3K **15**
Basil St. *Pres* —2C **8**
Bath St. *Ash R* —3H **7**
Bay Rd. *Rib* —2E **8**
Baytree Clo. *Los H* —5C **12**
Bay Tree Farm. *Lea* —4B **6**
Bay Tree Rd. *Clay W* —3F **17**
Beachley Rd. *Ing* —1E **6**
Beacon Av. *Ful* —6H **3**
Beacon Gro. *Ful* —7H **3**
Beaconsfield Av. *Pres* —3F **9**
Beaconsfield Ter. *Chor* —5H **21**
Beacon St. *Chor* —1H **25**
Beamont Dri. *Pres* —4H **7**
Bearswood Cft. *Clay W* —4F **17**
Beatty Av. *Chor* —2F **25**
Beaumaris Rd. *Ley* —6A **16**
Beckett St. *Pres* —3K **7**
Bedford Rd. *Ful* —7A **4**
Bedford St. *Chor* —2G **25**
Beech Av. *Eux* —3A **20**
Beech Av. *Ley* —6J **15**
Beech Dri. *Ful* —3H **3**
Beeches, The. *Brin* —3G **17**
Beechfield Ct. *Ley* —6K **15**
Beechfield Rd. *Ley* —7J **15**
Beechfields. *E'ston* —2D **22**
Beech Gdns. *Clay W* —5F **17**
Beech Gro. *Ash R* —1G **7**
Beechill Clo. *Walt D* —2E **12**
Beech Rd. *Ley* —4J **15**
Beech St. *Pres* —6H **7**
Beech St. S. *Pres* —6J **7**
Beech Ter. *Pres* —6J **7**
Beechway. *Ful* —7A **4**
Beechway. *Pen* —1F **11**
Beechwood Av. *Ful* —7G **3**
Beechwood Av. *Walt D* —1C **12**
Beechwood Cft. *Clay W* —3E **16**
Beechwood Rd. *Chor* —2J **25**
Bee La. *Pen* —4H **11**
Beenland St. *Pres* —3D **8**
Belfrey Clo. *Eux* —3B **20**
Belgrave Av. *Pen* —2F **11**
Belgrave Rd. *Ley* —6H **15**
Bellflower Clo. *Ley* —3C **16**
Bellis Way. *Walt D* —3B **12**
Belmont Av. *Rib* —2D **8**
Belmont Clo. *Rib* —2D **8**
Belmont Cres. *Rib* —2D **8**
Belmont Dri. *Chor* —6J **21**
Belmont Rd. *Ash R* —2G **7**
Belmont Rd. *Ley* —5J **15**
Belton Hill. *Ful* —3H **3**
Belvedere Dri. *Chor* —7F **21**
Belvedere Rd. *Ley* —4K **15**
Bence Rd. *Pres* —5B **8**

Bengal St. *Chor* —7H **21**
Bentham St. *Cop* —7C **24**
Bent La. *Ley* —5K **15**
Bentley La. *Bis & Hesk* —7B **22**
Benton Rd. *Rib* —7D **4**
Berkeley Clo. *Chor* —3H **25**
Berkeley Dri. *Bam B* —2C **16**
Berkeley St. *Pres* —3J **7**
Berry Fld. *Pen* —2G **11**
Berry St. *Los H* —5A **12**
Berry St. *Pres* —5A **8**
Berwick Dri. *Ful* —7H **3**
Berwick Rd. *Pres* —6A **8**
Berwick St. *Pres* —3E **8**
Beverley Clo. *Ash R* —3G **7**
Bexhill Rd. *Ing* —1E **6**
Bideford Way. *Cot* —5D **2**
Bidston St. *Pres* —4E **8**
Bilsborough Hey. *Pen* —4J **11**
Bilsborough Mdw. *Lea* —1C **6**
Binbrook Pl. *Chor* —1E **24**
Bingley Clo. *Clay W* —4G **17**
Birchall Lodge. Rib —7F **5**
  (off Grange Av.)
Birch Av. *Ash R* —2E **6**
Birch Av. *Eux* —3A **20**
Birch Av. *Ley* —3B **16**
Birch Av. *Pen* —2E **10**
Birch Cres. *Hogh* —4K **13**
Birches, The. *Pres* —3C **8**
Birch Fld. *Clay W* —3F **17**
Birchin La. *Whit W & Brin* —5G **17**
Birchover Clo. *Ing* —6E **2**
Birch Rd. *Chor* —5H **21**
Birch Rd. *Cop* —7C **24**
Birchwood. *Ley* —5E **14**
Birchwood Av. *Hut* —4A **10**
Birchwood Dri. *Cop* —6C **24**
Birchwood Dri. *Ful* —4H **3**
Bird St. *Pres* —6H **7**
Birkacre Brow. *Cop* —6D **24**
Birkacre Rd. *Chor* —4D **24**
Birkdale Dri. *Ash R* —2B **6**
Birkett Dri. *Rib* —1G **9**
Birkett Pl. *Rib* —1G **9**
Birk St. *Pres* —5J **7**
Birley St. *Pres* —4K **7**
Birtwistle St. *Los H* —6B **12**
Bishopgate. *Pres* —4A **8**
Bishopsway. *Pen* —2H **11**
Bison Pl. *Ley* —4E **14**
Bispham Av. *Far M* —2G **15**
Bispham St. *Pres* —4K **7**
Blackberry Way. *Pen* —3G **11**
Black Brook Clo. *H'pey* —5K **21**
Black Bull La. *Ful* —6H **3**
Blackburn Brow. *Chor* —5J **21**
Blackburn Rd. *Chor & Whit W*
  (in three parts)—4J **21**
Blackburn Rd. *High W* —1H **13**
Blackburn St. *Chor* —1J **25**
Blackcroft. *Clay W* —3F **17**
Black Horse St. *Chor* —2F **25**
Blackleach Av. *Grims* —2K **5**
Blackpool Rd. *Ful & Pres* —1J **7**
Blackpool Rd. *Lea & Pres* —3A **6**
Blackstone Rd. *Pen* —6J **7**
Blackthorn Clo. *Lea* —3B **6**
Blackthorn Cft. *Clay W* —4E **16**
Blackthorn Dri. *Pen* —2F **11**
Blake Av. *Los H* —6A **12**
Blanche St. *Ash R* —3G **7**
Blashaw La. *Pen* —7E **6**
Blaydike Moss. *Ley* —5D **14**
Bleachers Dri. *Ley* —5G **15**
Bleasdale Clo. *Bam B* —5F **13**
Bleasdale Clo. *Ley* —7K **15**
Bleasdale St. E. *Pres* —3B **8**
Blelock St. *Pres* —5A **8**
Blenheim Clo. *Los H* —5C **12**
Blenheim Way. *Cot* —5C **2**
Bloomfield Ct. *Pres* —2J **7**
Bloomfield Grange. *Pen* —3G **11**
Blossoms, The. *Ful* —5C **4**
Bluebell Clo. *Whit W* —2F **21**
Bluebell Pl. *Pres* —4A **8**
Blue Bell Way. *Ful* —5E **4**
Bluebellwood. *Ley* —3H **15**
Blue Stone La. *Maw* —5A **22**
Blundell La. *Pen* —6F **7**

Blundell Rd. *Ful* —1J **7**
Boarded Barn. *Eux* —4A **20**
Bodmin St. *Pres* —3D **8**
Boegrave Av. *Los H* —5A **12**
Bold St. *Pres* —2H **7**
Bolton Cft. *Ley* —6D **14**
Bolton Mdw. *Ley* —6C **14**
Bolton's Ct. *Pres* —5A **8**
Bolton St. *Chor* —1G **25**
Bone Cft. *Clay W* —3F **17**
Booths Shop. Cen. *Ful* —4K **3**
Bootle St. *Pres* —3C **8**
(in two parts)
Borrowdale Rd. *Ley* —7K **15**
Bostock St. *Pres* —5A **8**
Botany Bay. *Chor* —4J **21**
(in two parts)
Botany Brow. *Chor* —5J **21**
Boulevard. *Pres* —7B **8**
Boundary Clo. *E'ston* —1D **22**
Boundary Clo. *New L* —5D **10**
Boundary Rd. *Ful* —1H **7**
Boundary St. *Ley* —4K **15**
Bournesfield. *Hogh* —4K **13**
Bouverie St. *Pres* —3E **8**
Bow Brook Rd. *Ley* —5A **15**
Bowers, The. *Chor* —3H **25**
Bowland Av. *Chor* —7H **21**
Bowland Pl. *Rib* —1G **9**
Bowland Rd. *Rib* —1G **9**
Bow La. *Ley* —5K **15**
Bow La. *Pres* —5J **7**
Bowlers Clo. *Ful* —6C **4**
Bowlingfield. *Ing* —5E **2**
Bowness Rd. *Pres* —3G **9**
Bowran St. *Pres* —4J **7**
Bow St. *Ley* —4K **15**
Boxer Pl. *Ley* —3E **14**
Boys La. *Ful* —6G **3**
Brabiner La. *Haig & W'ham* —1H **5**
Bracewell Rd. *Rib* —6E **4**
Brackenbury Clo. *Los H* —6A **12**
Brackenbury Rd. *Ful & Pres* —1J **7**
Bracken Clo. *Chor* —7J **21**
Braconash Rd. *Ley* —4G **15**
Braddon St. *Pres* —3D **8**
Bradkirk La. *Bam B* —5H **13**
Bradkirk Pl. *Bam B* —6G **13**
Bradley La. *E'ston* —2E **22**
Bradshaw La. *Maw* —6A **22**
Bradshaws Brow. *Maw* —7A **22**
Braefield Cres. *Rib* —2F **9**
Braid Clo. *Pen* —4H **11**
Braintree Av. *Pen* —4J **11**
Bramble Ct. *Pen* —3J **11**
Brambles, The. *Cop* —6D **24**
Brambles, The. *Ful* —5D **4**
Brampton St. *Ash R* —3G **7**
Brancker St. *Chor* —3E **24**
Brandiforth St. *Bam B* —2F **13**
Brandwood. *Pen* —1E **10**
Brant Rd. *Pres* —3G **9**
Brantwood Dri. *Ley* —5K **15**
Brayshaw Pl. *Rib* —7E **4**
Bray St. *Ash R* —3G **7**
Bredon Av. *Eux* —6C **20**
(Cotswold Av.)
Bredon Av. *Eux* —6B **20**
(Hawkshead Av.)
Bredon Clo. *Eux* —6C **20**
Breeze Mt. *Los H* —5C **12**
Brennand Clo. *Bam B* —5F **13**
Bretherton Clo. *Ley* —6E **14**
Bretherton Ter. *Ley* —5K **15**
Breworth Fold La. *Brin* —3K **17**
Brewster St. *Pres* —4J **7**
Briar Av. *Eux* —3A **20**
Briar Bank Row. *Ful* —3K **3**
Briar Gro. *Ing* —7E **2**
Briars, The. *Ful* —5D **4**
Briarwood Clo. *Ley* —6G **15**
Briary Ct. *Bam B* —1G **17**
Bridge Bank. *Walt D* —6C **8**
Bridge Clo. *Los H* —5A **12**
Bridge Ct. *Los H* —5A **12**
Bridge End. *Los H* —5C **12**
Bridge Rd. *Ash R* —2G **7**
Bridge Rd. *Los H* —5C **12**
Bridge St. *Bam B* —6E **12**
Bridge St. *High W* —2H **13**

Bridge St. *Wheel* —7K **17**
Bridge Ter. *Walt D* —6C **8**
Bridgeway. *Los H* —5C **12**
Briercliffe Rd. *Chor* —6H **21**
Brierfield. *New L* —5D **10**
Brierley St. *Ash R* —3H **7**
Brierly Rd. *Bam B* —5G **13**
Briers, The. *E'ston* —2E **22**
Briery Clo. *Ful* —7C **4**
Brieryfield Rd. *Pres* —4H **7**
Briery Hey. *Bam B* —7J **13**
Briggs Rd. *Ash R* —2G **7**
Brighton Cres. *Ing* —1E **6**
Brighton St. *Chor* —7J **21**
Brindle Clo. *Bam B* —5H **13**
Brindle Fold. *Bam B* —6J **13**
Brindle Heights. *Brin* —1K **17**
Brindle Rd. *Bam B* —3F **13**
Brindle Rd. *Brin* —7K **13**
(in two parts)
Brindle St. *Chor* —2G **25**
Brindle St. *Pres* —4C **8**
Bristol Av. *Far* —2A **16**
Bristow Av. *Ash R* —2F **7**
Britannia Dri. *Ash R* —5F **7**
Britannia Wharf. *Ash R* —4F **7**
British Commercial Vehicle Mus.
—5J **15**
Brixey St. *Pres* —6H **7**
Brixton Rd. *Pres* —5B **8**
Broadfield. *Brough* —1F **3**
Broadfield Dri. *Ley* —4G **15**
Broadfield Dri. *Pen* —3H **11**
Broadfields. *Chor* —5F **21**
Broadfield Wlk. *Ley* —5G **15**
Broadgate. *Pres* —6H **7**
Broadgreen Clo. *Ley* —5H **15**
Broad Mdw. *Los H* —5A **12**
Broad Oak Grn. *Pen* —2F **11**
Broad Oak La. *Hut* —3F **11**
Broad Oak La. *Pen* —1F **11**
(in two parts)
Broad Sq. *Ley* —6J **15**
Broad St. *Ley* —6J **15**
Broadway. *Ash R* —2D **6**
Broadway. *Ful* —5H **3**
Broadway. *Ley* —6K **15**
Broadwood Clo. *Pen* —1F **11**
Broadwood Dri. *Ful* —4J **3**
Brockholes Brow. *Pres* —3G **9**
Brockholes Vw. *Pres* —5C **8**
Brock Rd. *Chor* —6H **21**
Bromley Grn. *Chor* —3K **21**
Bromley St. *Pres* —4H **7**
Brook Cft. *Ing* —7F **3**
Brookdale. *Hth C* —7K **25**
Brookdale. *New L* —6E **10**
Brookdale Clo. *Ley* —1K **19**
Brookes, The. *Chor* —1J **25**
Brooke St. *Chor* —1H **25**
Brookfield Av. *Ful* —7C **4**
Brookfield Dri. *Ful* —3J **3**
Brookfield Pl. *Bam B* —7G **13**
Brookfield St. *Pres* —3K **7**
Brookhouse St. *Ash R* —3H **7**
Brooklands. *Ash R* —3E **6**
Brooklands Av. *Ful* —4J **3**
Brook La. *Char R* —4K **23**
Brook La. *Wstke* —7H **11**
(in two parts)
Brookmeadow. *High B* —5D **2**
Brook Pl. *Lea* —2B **6**
Brookside. *Cop* —7D **24**
Brookside. *Eux* —5A **20**
Brookside Clo. *Far M* —3G **15**
Brookside Rd. *Ful* —4H **3**
Brook St. *Ful & Pres* —1H **7**
Brook St. *High W* —2H **13**
Brook St. N. *Ful* —1H **7**
Brookview. *Ful* —6B **4**
Broom Clo. *Ley* —3C **16**
Broomfield Mill St. *Pres* —3K **7**
Broughton St. *Pres* —1J **7**
Broughton Tower Way. *Ful* —3A **4**
Brow Hey. *Bam B* —7H **13**
Brownedge Clo. *Walt D* —4D **12**
Brownedge La. *Bam B* —4E **12**
Brownedge Rd. *Los H & Bam B* —5A **12**
(in two parts)
Brownedge Wlk. *Walt D* —4D **12**

Brownhill La. *Longt* —6B **10**
Brownhill Rd. *Ley* —5H **15**
Browning Cres. *Pres* —2D **8**
Browning Rd. *Pres* —2D **8**
Brown La. *Bam B* —3G **13**
Brownley St. *Chor* —1J **25**
Brownley St. *Clay W* —5F **17**
Browns Hey. *Chor* —5E **20**
Brown St. *Bam B* —5F **13**
Brown St. *Chor* —7H **21**
Browsholme Av. *Rib* —7F **5**
Brunswick Pl. *Ash R* —3G **7**
Brunswick St. *Chor* —7H **21**
Brydeck Av. *Pen* —1J **11**
Buchanan St. *Chor* —1H **25**
Buckingham Av. *Pen* —3H **11**
Buckingham St. *Chor* —1H **25**
Bucklands St. *Ash R* —2H **7**
Buckshaw Hall Clo. *Chor* —5F **21**
Buckton Clo. *Whit W* —1G **21**
Bude Clo. *Cot* —5D **2**
Buffalo Rd. *Ley* —2J **15**
(off Country Clo.)
Buller Av. *Pen* —1J **11**
Bullfinch St. *Pres* —3B **8**
Bulmer St. *Ash R* —2G **7**
Burgh Hall Rd. *Chor* —5E **24**
Burgh La. *Chor* —4G **25**
Burgh La. S. *Cop* —6F **25**
Burghley Clo. *Clay W* —4G **17**
Burghley Ct. *Ley* —5K **15**
Burgh Meadows. *Chor* —4G **25**
Burholme Clo. *Rib* —2G **9**
Burholme Pl. *Rib* —2G **9**
Burholme Rd. *Rib* —2G **9**
Burleigh Rd. *Pres* —5H **7**
Burlington Gdns. *Ley* —6K **15**
Burlington St. *Chor* —1H **25**
Burnsall Pl. *Rib* —7E **4**
Burnside Av. *Rib* —1F **9**
Burnside Way. *Pen* —2H **11**
Burnslack Rd. *Rib* —1F **9**
Burns St. *Pres* —2D **8**
Burrington Clo. *Ful* —5D **4**
Burrow Rd. *Pres* —3A **8**
Burwell Av. *Cop* —7B **24**
Burwood Clo. *Pen* —4K **11**
Burwood Dri. *Rib* —1E **8**
Bushell Pl. *Pres* —6A **8**
Bushell St. *Pres* —3K **7**
Bussel Rd. *Pen* —3J **11**
Butcher Brow. *Walt D* —7E **8**
Butler Pl. *Pres* —2K **7**
Butler St. *Pres* —5K **7**
Butterlands. *Pres* —4F **9**
Buttermere Av. *Chor* —2E **24**
Buttermere Clo. *Ful* —7C **4**
Buttermere Clo. *Walt D* —3D **12**
Butterworth Brow. *Chor* —4D **24**
Bymbrig Clo. *Bam B* —5E **12**
Byron Cres. *Cop* —7C **24**
Byron St. *Chor* —7G **21**

Cadley Av. *Ful* —1F **7**
Cadley Causeway. *Ful* —1G **7**
Cadley Dri. *Ful* —1F **7**
Cadogan Pl. *Pres* —6A **8**
Cage La. *New L* —5F **11**
Cairndale Dri. *Ley* —1K **19**
Cairnsmore Av. *Pres* —3F **9**
Calder Av. *Chor* —3F **25**
Calder Av. *Ful* —5K **3**
Calderbank Clo. *Ley* —5C **14**
Calder St. *Ash R* —4F **7**
Callon St. *Pres* —4D **8**
Calverley St. *Pres* —3D **8**
Cambridge Clo. *Pres* —2J **7**
Cambridge Ct. *Pres* —2J **7**
Cambridge Rd. *Bam B* —5F **13**
Cambridge St. *Chor* —1G **25**
Cambridge St. *Pres* —2J **7**
Cambridge Wlk. *Pres* —2J **7**
Cam Clo. *Bam B* —5F **13**
Camden Pl. *Pres* —5K **7**
Camelot Theme Pk. —4H **23**
Cameron Cft. *Chor* —7H **21**
Cam La. *Clay W* —2E **16**
Camomile Clo. *Chor* —4E **20**
Campbell St. *Pres* —4B **8**

Campion Dri. *Lea* —3A **6**
Campions, The. *Lea* —3A **6**
Cam St. *Pres* —2C **8**
Camwood. *Bam B* —2F **17**
Camwood Dri. *Los H* —4B **12**
Cam Wood Fold. *Clay W* —3E **16**
Canal Wlk. *Chor* —7J **21**
Canberra Rd. *Ley* —5K **15**
Cann Bri. St. *High W* —1H **13**
Cannon Hill. *Ash R* —3G **7**
Cannon St. *Chor* —7G **21**
Cannon St. *Pres* —5A **7**
Canterbury Rd. *Pres* —3D **8**
Canterbury St. *Chor* —2J **25**
Cantsfield Av. *Ing* —7F **3**
Canute St. *Pres* —3A **8**
Capesthorne Dri. *Chor* —5F **25**
Capital Way. *Walt D* —7C **8**
Capitol Cen. *Walt D* —7C **8**
Cardigan St. *Ash R* —3H **7**
Carleton Av. *Ful* —7D **4**
Carleton Dri. *Pen* —1E **10**
Carleton Rd. *Chor* —3J **21**
Carlisle Av. *Pen* —1E **10**
Carlisle Ho. *Pres* —5A **8**
(off Arundel Rd.)
Carlisle Pl. *Adl* —7K **25**
Carlisle St. *Pres* —4A **8**
Carloway Av. *Ful* —6C **4**
Carlton Av. *Clay W* —4F **17**
Carlton Dri. *Pres* —7B **8**
Carlton Rd. *Ley* —6H **15**
Carlton St. *Ash R* —4H **7**
Carnarvon Rd. *Pres* —5H **7**
Carnfield Pl. *Bam B* —5H **13**
Carnoustie Clo. *Ful* —4F **3**
Carnoustie Ct. *Pen* —6E **6**
Caroline St. *Pres* —3C **8**
Carr Barn Brow. *Bam B* —7J **13**
Carr Brook Clo. *Whit W* —6F **17**
Carrdale. *Hut* —3B **10**
Carr Fld. *Bam B* —2G **17**
Carr Ho. La. *Wrigh* —7H **23**
Carrington Cen., The. *E'ston* —2E **22**
Carrington Rd. *Chor* —1F **25**
Carr La. *Chor* —3G **25**
Carr La. *Far* —3J **15**
Carr Mdw. *Bam B* —7J **13**
Carrol St. *Pres* —3B **8**
Carr Pl. *Bam B* —6H **13**
Carr Rd. *Clay W* —4F **17**
Carr St. *Bam B* —5E **12**
Carr St. *Chor* —6J **21**
Carr St. *Pres* —5B **8**
Carrwood Rd. *Walt D* —2A **12**
Carrwood Way. *Walt D* —2B **12**
Carter St. *Pres* —5H **7**
Cartmel Pl. *Ash R* —2C **6**
(in two parts)
Cartmel Rd. *Ley* —6F **15**
Carver Brow. *High W* —1K **13**
Carwood La. *Whit W* —7G **17**
(in two parts)
Casterton. *Eux* —5A **20**
Castle Fold. *Pen* —3K **11**
Castle Mt. *Ful* —4K **3**
Castle St. *Chor* —1H **25**
Castle St. *Pres* —3K **7**
Castleton Rd. *Pres* —3B **8**
Castle Wlk. *Pen* —5G **7**
Catforth Rd. *Ash R* —3C **6**
Catherine St. *Chor* —2G **25**
Catherine St. *Pres* —4B **8**
Cathrow Dri. *New L* —6E **10**
Catley Clo. *Whit W* —2G **21**
Caton Dri. *Ley* —4C **16**
Causeway Av. *Ful* —7F **3**
Causeway, The. *Chor* —7J **21**
Causeway, The. *Ley* —1B **18**
Cavendish Cres. *Rib* —1F **9**
Cavendish Dri. *Rib* —1F **9**
Cavendish Pl. *Walt D* —2D **12**
Cavendish Rd. *Pres* —3E **8**
Cavendish St. *Chor* —1J **25**
Cave St. *Pres* —4D **8**
Caxton Rd. *Ful* —3B **4**
Cecilia St. *Pres* —3D **8**
Cedar Av. *Ash R* —2E **6**
Cedar Av. *Eux* —3A **20**

Cedar Av. *Los H* —5B **12**
Cedar Clo. *Grims* —2K **5**
Cedar Fld. *Clay W* —4G **17**
Cedar Rd. *Chor* —5H **21**
Cedar Rd. *Rib* —2E **8**
Cedars, The. *Chor* —4F **25**
Cedars, The. *E'ston* —1D **22**
Cedars, The. *New L* —5D **10**
Cedar Way. *Pen* —2F **11**
Cedarwood Dri. *Ley* —6G **15**
Cemetery Rd. *Pres* —3C **8**
Central Av. *Hogh* —3K **13**
Central Dri. *Pen* —1D **10**
Centre Dri. *Clay W* —2F **17**
Centurion Ct. *Ful* —1K **7**
Centurion Ind. Est. *Far* —3K **15**
Centurion Way. *Far* —2J **15**
Chaddock St. *Pres* —5K **7**
Chadwick Gdns. *Los H* —6A **12**
Chain Caul Rd. *Ash R* —4C **6**
Chain Caul Way. *Ash R* —4C **6**
Chain Ho. La. *Wstke* —6F **11**
Chalfont Fld. *Ful* —6G **3**
Chancery Clo. *Cop* —7D **24**
Chancery Rd. *Chor* —4E **20**
Chandler Bus. Pk. Ley —4G **15**
(off Talbot Rd.)
Chandler St. *Pres* —4J **7**
Channel Way. *Ash R* —4G **7**
Chapel Brow. *Ley* —4K **15**
Chapel La. *Cop* —6D **24**
Chapel La. *H'pey* —1K **21**
Chapel La. *Longt* —5A **10**
Chapel La. *New L* —5B **10**
Chapel La. Bus. Pk. *Cop* —7D **24**
Chapel Mdw. *Longt* —5A **10**
Chapel Pk. Rd. *Longt* —5A **10**
Chapel Rd. *Ful* —7A **4**
Chapel St. *Chor* —7G **21**
(in two parts)
Chapel St. *Cop* —7C **24**
Chapel St. *Pres* —5K **7**
Chapel Wlk. *Cop* —7C **24**
Chapel Walks. *Pres* —5K **7**
Chapel Way. *Cop* —7D **24**
Chapel Yd. *Cop* —7D **24**
Chapel Yd. *Walt D* —7D **8**
Chapman Rd. *Ful* —1A **8**
Charles Cres. *Hogh* —2J **13**
Charleston Ct. *Bam B* —4E **12**
Charles Way. *Ash R* —2C **6**
Charlesway Ct. *Lea* —3C **6**
Charlotte Pl. *Pres* —5A **8**
Charlotte St. *Pres* —5A **8**
Charnley Clo. *Pen* —3G **11**
Charnley Fold. *Walt D* —2F **13**
Charnley Fold Ind. Est. *Bam B*
—2F **13**
Charnley Fold La. *Bam B* —2F **13**
Charnley St. *Pres* —5K **7**
Charnock Av. *Pen* —3J **11**
Charnock Brow. *Char R* —1A **24**
Charnock Brow Golf Course.
—1B **24**
Charnock Fold. *Pres* —2A **8**
Charnock Ho. Chor —5G **21**
(off Lancaster Ct.)
Charnock Richard Golf Course.
—5A **24**
Charnock St. *Chor* —1H **25**
Charnock St. *Ley* —5J **15**
Charnock St. *Pres* —2A **8**
Charter La. *Char R* —4B **24**
Chartwell Clo. *Clay W* —4G **17**
Chartwell Ri. *Los H* —5C **12**
Chasden Clo. *Whit W* —2G **21**
Chase, The. *Cot* —6B **2**
Chase, The. *Ley* —4A **16**
Chatburn Rd. *Rib* —7E **4**
Chatham Pl. *Chor* —7J **21**
Chatham Pl. *Pres* —2B **8**
Chatsworth Clo. *Chor* —7F **21**
Chatsworth Ct. *Hth C* —7K **25**
Chatsworth Rd. *Ley* —5J **15**
Chatsworth St. *Pres* —4C **8**
Chaucer Clo. *E'ston* —2D **22**
Chaucer St. *Pres* —2D **8**
Cheam Av. *Chor* —2H **25**
Cheapside. *Chor* —1G **25**

Cheapside. *Pres* —5K **7**
Cheddar Dri. *Ful* —5D **4**
Cheetham Mdw. *Ley* —5C **14**
Chelford Clo. *Pen* —4K **11**
Chelmsford Gro. *Chor* —1F **25**
Chelmsford Pl. *Chor* —1F **25**
Chelmsford Wlk. *Ley* —6C **14**
Cheriton Fld. *Ful* —4G **3**
Cherry Clo. *Ful* —5D **4**
Cherryfields. *Eux* —3B **20**
Cherry Tree Gro. *Chor* —4G **21**
Cherry Trees. *Leo* —1C **12**
Cherry Wood. *Pen* —2E **10**
Cherrywood Clo. *Ley* —6G **15**
Chesham Dri. *New L* —5D **10**
Cheshire Ho. Clo. *Far M* —6K **11**
Chesmere Dri. *Pen* —7F **7**
Chester Av. *Chor* —4J **25**
Chester Rd. *Pres* —3C **8**
Chestnut Av. *Chor* —5J **21**
Chestnut Av. *Eux* —2A **20**
Chestnut Av. *Pen* —1E **10**
Chestnut Clo. *Walt D* —3E **12**
Chestnut Ct. *Ley* —7J **15**
Chestnut Cres. *Rib* —2E **8**
Chestnut Dri. *Ful* —4H **3**
Chestnuts, The. *Cop* —6D **24**
Cheviot St. *Pres* —4H **7**
Chiltern Av. *Eux* —6B **20**
Chiltern Mdw. *Ley* —5B **16**
Chindits Way. *Ful* —7B **4**
Chines, The. *Ful* —7J **3**
Chingle Clo. *Ful* —5E **4**
Chisnall La. *Hesk* —6H **23**
Chorley Bus. & Technology Cen.
Eux —3C **20**
Chorley F.C. —2G **25**
(Victory Pk.)
Chorley Golf Course. —4K **25**
Chorley Hall Rd. *Chor* —5G **21**
Chorley La. *Char R* —6A **24**
Chorley N. Ind. Est. *Chor* —4H **21**
Chorley Old Rd. *Whit W & Brin*
—7G **17**
Chorley Rd. *Hth C* —5K **25**
Chorley Rd. *Walt D* —1D **12**
Chorley R.U.F.C. —4E **20**
(Brookfields Chancery Rd.)
Chorley W. Bus. Pk. *Chor* —7D **20**
Christ Chu. St. *Pres* —5J **7**
Christian Rd. *Pres* —5J **7**
Church Av. *Pen* —6G **7**
Church Av. *Pres* —4E **8**
Church Brow. *Chor* —7G **21**
Church Brow. *Walt D* —7D **8**
Church Ct. *Pres* —2C **8**
Churchfield. *Ful* —5K **3**
Church Hill. *Char R* —4C **24**
Church Hill. *Whit W* —7F **17**
Churchill Rd. *Ful* —7C **4**
Churchill Way. *Ley* —4J **15**
Church La. *Brough* —2H **3**
Church La. *Char R* —4A **24**
Church La. *Wstke & Far M* —6J **11**
Church Rd. *Bam B* —6E **12**
(in three parts)
Church Rd. *Ley* —6J **15**
Church Row. *Pres* —4A **8**
Churchside. *New L* —5D **10**
Church St. *Chor* —1G **25**
Church St. *High W* —2H **13**
Church St. *Ley* —4K **15**
Church St. *Pres* —5A **8**
Church Ter. *High W* —2H **13**
Church Wlk. *E'ston* —7D **18**
Church Wlk. *Eux* —5A **20**
Cinnamon Av. *Pen* —3G **11**
Cinnamon Hill Dri. N. *Walt D*
—2D **12**
Cinnamon Hill Dri. S. *Walt D*
—2D **12**
Cintra Av. *Ash R* —1H **7**
Cintra Ter. *Ash R* —1H **7**
Clairane Av. *Ful* —5J **3**
Clancut La. *Cop* —5C **24**
Clanfield. *Ful* —4J **3**
Clara St. *Pres* —5C **8**
Claremont Av. *Chor* —1F **25**
Claremont Av. *Ley* —6K **15**
Claremont Rd. *Chor* —3F **25**

Clarence St. *Chor* —1H **25**
Clarence St. *Ley* —4K **15**
Clarence St. Ind. Est. Chor —1H **25**
(off Clarence St.)
Clarendon St. *Chor* —1J **25**
Clarendon St. *Pres* —6A **8**
Claughton Av. *Ley* —5C **16**
Clayburn Clo. *Chor* —5H **21**
Clayton Av. *Ley* —7F **15**
Clayton Brook Rd. *Bam B* —1F **17**
Claytongate. *Cop* —6D **24**
Clayton Grn. Cen. *Clay W* —2F **17**
Clayton Grn. Rd. *Clay W* —3E **16**
Clayton's Ga. *Pres* —4H **7**
Claytonvilla Fold. *Clay W* —3E **16**
Clematis Clo. *Chor* —4E **20**
Clevedon Rd. *Ing* —7E **2**
Cleveland Av. *Ful* —7C **4**
Cleveland Rd. *Ley* —4H **15**
Cleveland St. *Chor* —7G **21**
Cleveland St. *Pres* —7C **24**
Cleveleys Av. *Ful* —7G **3**
Cleveleys Rd. *Hogh* —2K **13**
Cliffe Ct. *Pres* —4D **8**
Cliffe Dri. *Whit W* —6F **17**
Clifford St. *Chor* —7H **21**
Cliff St. *Pres* —6J **7**
Clifton Av. *Ash R* —2D **6**
Clifton Av. *Ley* —6K **15**
Clifton Cres. *Pres* —2C **8**
Clifton Dri. *Pen* —7G **7**
Clifton Gro. *Chor* —1F **25**
Clifton Gro. *Pres* —1C **8**
Clifton Ho. *Ful* —7C **4**
Clifton Pk. *Far* —3A **16**
Clifton Pl. *Ash R* —2F **7**
Clifton St. *Pres* —6H **7**
Clitheroe St. *Pres* —5C **8**
Clive Rd. *Pen* —6F **7**
Cloisters, The. *Ash R* —4H **7**
Cloisters, The. *Ley* —4A **16**
Close, The. *Ful* —4J **3**
Close, The. *New L* —6E **10**
(in two parts)
Clough Acre. *Chor* —5E **20**
Clough Av. *Walt D* —2B **12**
Cloughfield. *Pen* —4H **11**
Clough, The. *Clay W* —3E **16**
Clovelly Av. *Ash R* —4H **7**
Clovelly Dri. *Pen* —7E **6**
Clover Fld. *Clay W* —4F **17**
Cloverfield. *Pen* —1F **11**
Clover Rd. *Chor* —3E **24**
Club St. *Bam B* —6E **12**
Clydesdale Pl. *Ley* —4E **14**
Clyde St. *Ash R* —4G **7**
Cobden St. *Chor* —6J **21**
Cocker Bar Rd. *Ley* —6A **14**
Cocker La. *Ley* —5D **14**
Cocker Rd. *Bam B* —6G **13**
Cockersand Av. *Hut* —4A **10**
Cold Bath St. *Pres* —4J **7**
Colebatch St. *Ful* —6H **3**
Colenso Rd. *Ash R* —2G **7**
Coleridge Clo. *Cot* —7C **2**
College St. *Pres* —2J **7**
Collingwood Rd. *Chor* —1E **24**
Collinson St. *Pres* —3C **8**
Collins Rd. *Bam B* —4E **12**
Collins Rd. N. *Bam B* —3F **13**
Collison Av. *Chor* —7G **21**
Colman Ct. *Pres* —6H **7**
Colt Ho. Clo. *Ley* —7J **15**
Coltsfoot Dri. *Chor* —5H **21**
Columbine Clo. *Chor* —4E **20**
Colwyn Pl. *Ing* —1E **6**
Colyton Clo. *Chor* —7J **21**
Colyton Rd. *Chor* —7J **21**
Colyton Rd. E. *Chor* —7J **21**
Comet Rd. *M Side* —4E **14**
Commercial Rd. *Chor* —6G **21**
Comn. Bank Ind. Est. *Chor* —1D **24**
Comn. Bank La. *Chor* —1D **24**
Compton Grn. *Ful* —4G **3**
Conder Rd. *Ash R* —3C **6**
Congress St. *Chor* —6G **21**
Coniston Av. *Ash R* —2H **7**
Coniston Av. *Eux* —6B **20**
Coniston Dri. *Walt D* —3D **12**

Coniston Rd. *Chor* —2F **25**
Coniston Rd. *Ful* —6C **4**
Connaught Rd. *Pres* —7J **7**
Constable Av. *Los H* —6A **12**
Constable St. *Pres* —4A **8**
Convent Clo. *Bam B* —4D **12**
Convent Clo. *Ley* —4A **16**
Conway Av. *Ley* —6A **16**
Conway Av. *Pen* —4A **12**
Conway Clo. *Eux* —6C **20**
Conway Ct. *Hogh* —3K **13**
Conway Dri. *Ful* —4G **3**
Conway Rd. *Pen* —4D **8**
Conway Rd. *E'ston* —1E **22**
Coombes, The. *Ful* —6K **3**
Co-operative St. *Bam B* —5E **12**
Cooper Hill Clo. *Walt D* —7D **8**
Cooper Hill Dri. *Walt D* —7D **8**
Cooper Rd. *Pres* —4H **7**
Cooper's La. *Hesk* —7D **22**
Coote La. *Wstke & Los H* —6J **11**
Cop La. *Pen* —7F **7**
Copper Beeches. *Pen* —4H **11**
Copperwood Way. *Chor* —1D **24**
Coppice Clo. *Chor* —6J **21**
Coppice, The. *Ing* —7E **2**
Coppull Enterprise Cen. *Cop*
—6C **24**
Coppull Hall La. *Cop* —7E **24**
Coppull Rd. *Chor* —5D **24**
Copse, The. *Chor* —4F **25**
Copthurst La. *H'pey & Whit W*
—1J **21**
Corncroft. *Pen* —2G **11**
Cornfield. *Cot* —5C **2**
Cornflower Clo. *Chor* —5H **21**
Cornthwaite Rd. *Ful* —1J **7**
Coronation Cres. *Pres* —5B **8**
Corporation St. *Chor* —6H **21**
Corporation St. *Pres* —4K **7**
Cotswold Av. *Eux* —6B **20**
Cotswold Clo. *E'ston* —2F **23**
Cotswold Ho. *Chor* —2G **25**
Cotswold Rd. *Chor* —2G **25**
Cottage Fields. *Chor* —4F **25**
Cottage La. *Bam B* —3F **13**
Cottam Av. *Ing* —7D **2**
Cottam Grn. *Cot* —5C **2**
Cottam Hall La. *Cot* —6C **2**
Cottam La. *Ing & Ash R* —1E **6**
Cottam La. *Longt* —7A **10**
Cottam St. *Chor* —2G **25**
Cottam Way. *Cot* —7A **2**
Cotton Ct. *Pres* —4A **8**
Countess Way. *Bam B* —4E **12**
Countess Way. *Eux* —5B **20**
Country Clo. *Ley* —2J **15**
Coupe Grn. *Hogh* —1K **13**
Court, The. *Ful* —4G **3**
Court, The. *Pen* —1G **11**
Coventry St. *Chor* —2G **25**
Cow La. *Ley* —6H **15**
Cowley Rd. *Rib* —1E **8**
Cowling Brow. *Chor* —1J **25**
Cowling Brow Ind. Est. *Chor*
—2J **25**
Cowling Cotts. *Char R* —5B **24**
Cowling La. *Ley* —5F **15**
Cowling Rd. *Chor* —2J **25**
Cowslip Way. *Chor* —5H **21**
Cow Well La. *Whit W* —6F **17**
Crabtree Av. *Pen* —2E **10**
Cragg's Row. *Pres* —3K **7**
Craigflower Ct. *Bam B* —6J **13**
Cranberry St. *Pres* —4C **8**
Cranbourne Dri. *Chor* —1J **25**
Cranbourne St. *Bam B* —5E **12**
Cranbourne St. *Chor* —1H **25**
Craven Clo. *Ful* —4K **3**
Crawford Av. *Chor* —1F **25**
Crawford Av. *Ley* —6J **15**
Crawford St. *Pres* —3F **9**
Crescent St. *Pres* —3C **8**
Crescent, The. *Ash R* —2E **6**
Crescent, The. *Bam B* —3F **13**
Crescent, The. *Chor* —5G **21**
Crescent, The. *Lea* —3B **6**
Crescent, The. *Los H* —5C **12**
Creswell Av. *Ing* —1D **6**
Cricketers Grn. *E'ston* —1D **22**

Croasdale Av. *Rib* —7E **4**
Crocus Fld. *Ley* —7J **15**
Croft Bank. *Pen* —2G **11**
Crofters Grn. *Eux* —4A **20**
Crofters Grn. *Pres* —2J **7**
Crofters Wlk. *Pen* —3H **11**
Croftgate. *Ful* —6K **3**
Croft Mdw. *Bam B* —7J **13**
Croft Pk. *Ley* —5A **16**
Croft Rd. *Chor* —1J **25**
Croft St. *Pres* —4H **7**
(in two parts)
Croft, The. *E'ston* —1E **22**
Croft, The. *Eux* —4K **19**
Crombleholme Rd. *Pres* —3E **8**
Cromer Pl. *Ing* —7E **2**
Cromford Wlk. *Pres* —4C **8**
Crompton St. *Pres* —3C **8**
Cromwell Av. *Pen* —2G **11**
Cromwell Rd. *Pen* —2F **11**
Cromwell Rd. *Rib* —7D **4**
Cromwell St. *Pres* —3A **8**
Crooked La. *Pres* —4A **8**
Crookings La. *Pen* —6E **6**
Crook St. *Chor* —3F **25**
Crook St. *Pres* —4B **8**
Crosby Pl. *Ing* —7E **2**
Crosier Wlk. *Cot* —6C **2**
Crosse Hall La. *Chor* —1J **25**
Crosse Hall St. *Chor* —1K **25**
Cross Fld. *Hut* —4A **16**
Cross Grn. Rd. *Ful* —5J **3**
Cross Halls. *Pen* —2F **11**
Cross Keys Dri. *Whit W* —6G **17**
Cross St. *Chor* —6G **21**
Cross St. *Ley* —4K **15**
Cross St. *Pres* —5K **7**
Cross Swords Clo. *Chor* —3F **25**
Croston La. *Char R* —6K **23**
Croston Rd. *Far M & Los H*
—3G **15**
Crowell Way. *Walt D* —2E **12**
Crow Hills Rd. *Pen* —6E **6**
Crowle St. *Pres* —4D **8**
Crownlee. *Pen* —2E **10**
Crown St. *Chor* —7G **21**
Crown St. *Far* —3K **15**
Crown St. *Pres* —4K **7**
Crummock Rd. *Pres* —3G **9**
Cub St. *Ley* —2J **15**
(off Country Clo.)
Cuerdale La. *Walt D & Sam* —7E **8**
Cuerden Av. *Ley* —7F **15**
Cuerden Clo. *Bam B* —2C **16**
Cuerden Ri. *Los H* —6C **12**
Cuerden St. *Chor* —1J **25**
Cuerden Valley Pk. —3D **16**
Cuerden Way. *Bam B* —5D **12**
Culbeck La. *Eux* —5H **19**
Cumberland Av. *Ley* —7G **15**
Cumberland Ho. *Pres* —4K **7**
(off Warwick St.)
Cunliffe St. *Chor* —1G **25**
Cunliffe St. *Pres* —4A **8**
Cunnery Mdw. *Ley* —5C **16**
Cunningham Av. *Chor* —2E **24**
Curate St. *Chor* —6J **21**
Curlew Clo. *Ley* —7E **14**
Curwen St. *Pres* —3C **8**
(in two parts)
Customs Way. *Ash R* —4G **7**
Cutt Clo. *Ley* —1B **18**
Cuttle St. *Pres* —4D **8**
Cyclamen Clo. *Ley* —4C **16**
Cyon Clo. *Pen* —7J **7**
Cypress Clo. *Ley* —4C **16**
Cypress Clo. *Rib* —7G **5**
Cypress Gro. *Los H* —5B **12**

Dacca St. *Chor* —6H **21**
Dahlia Clo. *Ley* —4C **16**
Daisy Bank Clo. *Ley* —5F **15**
Daisy Cft. *Lea* —4B **6**
Daisyfields. *High B* —4D **2**
Daisy Fold. *Chor* —5G **21**
Daisy Hill Fold. *Eux* —6B **20**
Daisy La. *Pres* —1C **8**
Daisy Mdw. *Bam B* —7G **13**
Dakin St. *Chor* —1H **25**

Dalby Clo. *Pres* —1D **8**
Dale Av. *Eux* —6B **20**
Dalehead Rd. *Ley* —7J **15**
Dale St. *Pres* —4B **8**
Daleview. *Chor* —4G **25**
Dallas St. *Pres* —1J **7**
Dalmore Rd. *Ing* —1E **6**
Dane Hall La. *Eux* —5F **19**
Danes Dri. *Walt D* —4D **12**
Danesway. *Hth C* —7K **25**
Danesway. *Pen* —1E **10**
Danesway. *Walt D* —3D **12**
(in two parts)
Danewerk St. *Pres* —4A **8**
Darkinson La. *Cot* —7A **2**
Darkinson La. *Lea T* —1A **6**
Dark La. *Whit W* —2J **21**
Darlington St. *Cop* —7B **24**
Dart St. *Ash R* —4G **7**
Darwen St. *High W* —1H **13**
Darwen St. *Pres* —5C **8**
Darwen Vw. *Walt D* —7E **8**
Daub Hall La. *Hogh* —4K **13**
Dawber's La. *Eux* —5F **19**
Dawlish Pl. *Ing* —1E **6**
Dawnay Rd. *Rib* —1E **8**
Dawson La. *Ley & Whit W*
—7B **16**
Dawson Pl. *Bam B* —6G **13**
Dawson Wlk. *Pres* —3K **7**
Dean St. *Bam B* —4E **12**
Deborah Av. *Ful* —4A **4**
Deepdale Mill St. *Pres* —3B **8**
Deepdale Retail Pk. *Pres* —1C **8**
Deepdale Rd. *Pres & Ful* —4B **8**
Deepdale St. *Pres* —4B **8**
Deerfold. *Chor* —5F **21**
Deighton Av. *Ley* —6J **15**
Deighton Rd. *Chor* —2F **25**
De Lacy St. *Ash R* —2H **7**
Delamere Pl. *Chor* —7H **21**
Delaware St. *Pres* —3C **8**
Dell, The. *Ful* —4H **3**
Dellway, The. *Hut* —2B **10**
Delph La. *Char R* —2A **24**
(in two parts)
Delph Way. *Whit W* —7G **17**
Demming Clo. *Lea* —4A **6**
Denbigh Clo. *Ley* —5K **15**
Denbigh Way. *Pres* —5A **8**
Denby Clo. *Los H* —2C **12**
Denford Av. *Ley* —6K **15**
Denham La. *Brin* —5H **17**
Denville Rd. *Pres* —3C **8**
Derby Rd. *Ful* —7J **3**
Derby Sq. *Pres* —4D **8**
Derby St. *Ley* —4K **15**
Derby St. *Pres* —4A **8**
Derek Rd. *Whit W* —5G **17**
Derry Rd. *Rib* —1E **8**
Derwent Hall. *Pres* —3J **7**
(off Ashmoor St.)
Derwent Ho. *Pres* —4D **8**
Derwent Rd. *Chor* —3F **25**
Derwentwater Pl. *Pres* —2K **7**
Dever Av. *Ley* —5F **15**
Devon Clo. *Walt D* —2D **12**
Devon Ct. *Pres* —3D **8**
Devonport Clo. *Walt D* —2E **12**
Devonport Way. *Chor* —1J **25**
Devonport Way Flats. *Chor* —7J **21**
Devonshire Clo. *Chor* —1G **25**
Devonshire Pl. *Pres* —3E **8**
Devonshire Rd. *Chor* —1G **25**
Devonshire Rd. *Ful* —7A **4**
Dewhurst Ind. Est. *Pres* —3H **7**
Dewhurst Row. *Bam B* —6D **12**
Dewhurst St. *Pres* —3H **7**
Dickensons Fld. *Pen* —3J **11**
Dickens Rd. *Cop* —7C **24**
Dickson Av. *Pres* —2D **8**
Dickson Hey. *New L* —5D **10**
Dickson St. *Pres* —5B **8**
Dingle, The. *Ful* —4H **3**
Dingle, The. *H'pey* —4K **21**
Dixons La. *Grims* —1J **9**
Dob Brow. *Char R* —4C **24**
Doctor's La. *E'ston* —2C **22**
Dodd Way. *Bam B* —7G **13**
Dodgson Pl. *Pres* —3C **8**

Dodgson Rd. *Pres* —3C **8**
Dodney Dri. *Lea* —3A **6**
Dog Kennel Wood Nature Reserve.
—2C **12**
Dole La. *Chor* —7G **21**
Doll La. *Ley* —5C **14**
Dolphin Brow. *Whit W* —7F **17**
Doodstone Av. *Los H* —4B **12**
Doodstone Clo. *Los H* —4B **12**
Doodstone Dri. *Los H* —4B **12**
Doodstone Nook. *Los H* —4B **12**
Doris St. *Chor* —6H **21**
Dorking Rd. *Chor* —3K **21**
Dorman Rd. *Rib* —1E **8**
Dorothy Av. *Ley* —5J **15**
Dorset Av. *Walt D* —2D **12**
Dorset Rd. *Pres* —3A **8**
Douglas Clo. *Bam B* —5F **13**
Douglas Ho. *Chor* —3F **25**
Douglas Pl. *Chor* —3F **25**
Douglas Rd. *Ful* —1H **7**
Douglas Rd. N. *Ful* —1H **7**
Douglas St. *Ash R* —3G **7**
Doultons, The. *Los H* —2C **12**
Dove Av. *Pen* —1J **11**
Dovecote. *Clay W* —3E **16**
Dovedale Av. *Ing* —7E **2**
Dovedale Clo. *Ing* —7E **2**
Dovedale Clo. *Ley* —1J **19**
Dovedale Ho. *Ful* —7E **2**
Dove St. *Pres* —3B **8**
Dovetree Clo. *Walt D* —2A **12**
Downham Pl. *Ash R* —2C **6**
Downham Rd. *Ley* —6E **14**
Downing Ct. *Brough* —1G **3**
Downing St. *Pres* —4E **8**
Drakes Cft. *Ash R* —1G **7**
Drakes Hollow. *Walt D* —1D **12**
Draper Av. *E'ston* —2E **22**
Draperfield. *Chor* —4E **24**
Driscoll St. *Pres* —4B **8**
Drive, The. *Ful* —7A **4**
Drive, The. *Walt D* —7F **9**
Drumacre La. E. *Longt* —7A **10**
Drumacre La. W. *Longt* —7A **10**
Drumhead Rd. *Chor* —4H **21**
Duchy Av. *Ful* —7B **4**
Ducie Pl. *Pres* —3F **9**
Duck La. *Ful* —7H **3**
Duddle La. *Walt D* —4D **12**
Dudley Pl. *Ash R* —2D **6**
Dukes Mdw. *Ing* —6E **2**
Duke St. *Bam B* —6E **12**
Duke St. *Chor* —2G **25**
Duke St. *Pres* —5B **8**
Dunbar Dri. *Ful* —7H **3**
Dunbar Rd. *Ing* —1D **6**
Dundonald St. *Pres* —4D **8**
Dunham Dri. *Whit W* —2G **21**
Dunkirk Av. *Ful* —7G **3**
Dunkirk La. *Ley* —5B **14**
Dunmore St. *Pres* —4B **8**
Dunnocks La. *Cot* —7C **2**
Dunoon Clo. *Ing* —7D **2**
Dunrobin Dri. *Eux* —6B **20**
Dunscar Dri. *Chor* —6J **21**
Dunsop Clo. *Bam B* —5F **13**
Dunsop Rd. *Rib* —7D **4**
Durham Clo. *Ley* —1G **19**
Durham Ho. *Pres* —6A **8**
(off Guildford Ho.)
Durton La. *Brough* —2H **3**
(in two parts)
Dutch Barn Clo. *Chor* —5F **21**
Duxbury Hall Rd. *Chor* —5J **25**
Duxbury Pk. Golf Course. —5H **25**
Dymock Rd. *Pres* —3D **8**

Ealing Gro. *Chor* —3K **21**
Earls Av. *Bam B* —5E **12**
Earl St. *Pres* —4K **7**
Earls Way. *Eux* —5B **20**
Earnshaw Dri. *Ley* —5F **15**
Eastbourne Clo. *Ing* —6D **2**
E. Chorley Bus. Cen. *Chor*
—7H **21**
East Cliff. *Pres* —6K **7**
E. Cliff Rd. *Pres* —6K **7**
East Dri. *Eux* —3B **20**

Eastgate. *Ful* —6J **3**
Eastham St. *Pres* —3J **7**
Eastlands. *Ley* —7E **14**
Easton Clo. *Ful* —5D **4**
East Rd. *Ful* —1A **8**
East St. *Bam B* —6E **12**
East St. *Far* —4K **15**
East St. *Ley* —5K **15**
East St. *Pres* —4A **8**
East Vw. *Ful* —6F **5**
East Vw. *Los H* —6A **12**
East Vw. *Pres* —4A **8**
East Vw. *Walt D* —6C **8**
Eastway. *Ful* —3G **3**
Eastway Bus. Village. *Ful* —3B **4**
E. Way La. *Chor* —7H **21**
Eastwood Rd. *Ley* —5H **15**
Eaves Grn. Rd. *Chor* —3F **25**
Eaves La. *Chor* —6J **21**
Eaves La. *Ful* —1J **7**
Eaveswood Clo. *Bam B* —4E **12**
Eccles St. *Pres* —3C **8**
Ecroyd Rd. *Ash R* —2G **7**
Ecroyd St. *Ley* —5J **15**
Edale Clo. *Ley* —7J **15**
Edale Ct. *Pres* —3K **7**
Eden Hall. *Pres* —3J **7**
(off Ashmoor St.)
Eden St. *Ley* —6J **15**
Edenway. *Ful* —4H **3**
Edgefield. *Chor* —5F **21**
Edgehill Clo. *Ful* —7H **3**
Edgehill Cres. *Ley* —4G **15**
Edgehill Dri. *Ful* —7H **3**
Edinburgh Clo. *Ley* —5A **16**
Edleston Lodge. *Rib* —7F **5**
(off Grange Av.)
Edmund St. *Pres* —4B **8**
Edward VIII Quay. *Ash R* —4F **7**
Edward Sq. *Pres* —3A **8**
Edward St. *Bam B* —5E **12**
Edward St. *Chor* —1H **25**
Edward St. *Ley* —6J **15**
Edward St. *Walt D* —7C **8**
Egan St. *Pres* —4A **8**
Egbert St. *Pres* —3A **8**
Egerton Ct. *Ash R* —3F **7**
Egerton Gro. *Chor* —2F **25**
Egerton Rd. *Ash R* —3E **6**
Egerton Rd. *Ley* —4H **15**
Elbow St. *Chor* —1G **25**
Elcho St. *Pres* —2A **8**
Elder Clo. *Ful* —5D **4**
Elder Clo. *Whit W* —4G **17**
Eldon Ho. *Chor* —1H **25**
Eldon St. *Ash R & Pres* —2G **7**
Eldon St. *Chor* —1H **25**
Elgin St. *Pres* —2A **8**
Elijah St. *Pres* —4D **8**
Elizabeth Sq. *Pres* —3A **8**
Elizabeth St. *Pres* —4K **7**
Ellen Ct. *Pres* —2K **7**
Ellen St. *Bam B* —4E **12**
Ellen St. *Pres* —3H **7**
(in three parts)
Ellerbeck Av. *Rib* —6E **4**
Ellerbrook Clo. *Hth C* —7K **25**
Ellerslie Rd. *Ash R* —3F **7**
Elliott Clo. *Pres* —2J **7**
Elliott St. *Pres* —2J **7**
(in two parts)
Elliott Wlk. *Pres* —2J **7**
Elm Av. *Ash R* —2D **6**
Elm Dri. *Bam B* —4F **13**
Elmfield Dri. *Bam B* —7J **13**
Elm Gro. *Chor* —5J **21**
Elm Gro. *Ley* —3B **16**
Elm Gro. *Rib* —2E **8**
Elmsett Rd. *Walt D* —2F **13**
Elmsley St. *Pres* —1J **7**
Elms, The. *Clay W* —5G **17**
Elmwood. *Chor* —6F **21**
Elmwood Av. *Ley* —5G **15**
Elmwood Dri. *Pen* —1F **11**
Elston Lodge. *Rib* —7F **5**
(off Grange Av.)
Elswick Rd. *Ash R* —3C **6**
Elswick Rd. *Ley* —6F **15**
Elton St. *Ash R* —3G **7**

Gt. Greens La. *Bam B* —1F **17**
Gt. Hanover St. *Pres* —3A **8**
Gt. Meadow. *Chor* —5E **20**
Gt. Meadow. *Los H* —5A **12**
Gt. Shaw St. *Pres* —4K **7**
Gt. Townley St. *Pres* —4D **8**
Greaves Mdw. *Pen* —3K **11**
Greaves St. *Pres* —5A **8**
Greaves Town La. *Lea* —3C **6**
Greenacres. *Chor* —3G **25**
Greenacres. *Ful* —4F **3**
Greenacres, The. *Hut* —3B **10**
Greenbank Av. *Pres* —2H **7**
Greenbank Pl. *Pres* —3J **7**
Greenbank Rd. *Pen* —1J **11**
Greenbank St. *Pres* —2H **7**
(in three parts)
Greencroft. *Pen* —2H **11**
Greendale M. *Ash R* —2C **6**
Green Dri. *Ful* —4J **3**
Green Dri. *Los H* —4C **12**
Green Dri. *Pen* —7F **7**
Greenfield Dri. *Los H* —5A **12**
Greenfield Rd. *Chor* —7J **21**
Greenfield Way. *Ing* —6F **3**
Green Ga. *Ful* —1G **7**
Green Ga. *Hut* —4A **10**
Greenlands Cres. *Rib* —1E **8**
Greenlands Gro. *Rib* —1E **8**
Green La. *Far M* —6J **11**
Green La. *Wstke* —4G **11**
Greenmead Clo. *Cot* —6C **2**
Green Pl. *Bam B* —7G **13**
Greenside. *Cot* —7B **2**
Greenside. *Eux* —4A **20**
Greenside Av. *Lea* —3A **6**
Greenside Gdns. *Ley* —7D **14**
Green St. *Chor* —3E **24**
Greensway. *Brough* —1G **3**
Green, The. *E'ston* —1D **22**
Green, The. *Hth C* —6K **25**
Green, The. *Rib* —2F **9**
Greenthorn Cres. *Rib* —2G **9**
Greenway. *E'ston* —1D **22**
Greenway. *Ful* —4H **3**
Greenway. *Pen* —1F **11**
Green Heights Vw. *Chor* —7J **21**
(in three parts)
Greystock Av. *Ful* —5J **3**
Greystock Clo. *Bam B* —5H **13**
Greystock Pl. *Ful* —5J **3**
Greystones. *Ley* —5D **14**
Grime St. *Chor* —2H **25**
Grimsargh St. *Pres* —3D **8**
Grimshaw St. *Pres* —5A **8**
Grisedale Pl. *Chor* —3F **25**
Grizedale Clo. *Rib* —2F **9**
Grizedale Cres. *Rib* —2F **9**
Grizedale Pl. *Rib* —2F **9**
Grosvenor Pl. *Ash R* —2F **7**
Grosvenor Rd. *Chor* —2F **25**
Grosvenor St. *Pres* —5B **8**
Grove Mill Development Cen. *E'ston*
—3E **22**
Grove Rd. *Walt D* —6C **8**
Grove St. *Bam B* —5F **13**
Grove St. *Ley* —6F **15**
Grove, The. *Ash R* —3F **7**
Grove, The. *Chor* —5G **21**
Grove, The. *Pen* —1F **11**
Grundy's La. *Chor* —7G **25**
Grundy St. *Ley* —4J **15**
Guardian Clo. *Ful* —7A **4**
Guildford Av. *Chor* —3J **21**
Guildford Rd. *Pres* —5A **8**
Guild Hall. *Pres* —5A **8**
Guild Hall Arc. *Pres* —5A **8**
(off Lancaster Rd.)
Guildhall St. *Pres* —5K **7**
Guild Row. *Pres* —5A **8**

Guild Trad. Est. *Pres* —3B **8**
Guild Way. *Pres* —5H **7**

Hacklands Av. *Lea* —3A **6**
Haddon Pl. *Ful* —1H **7**
Haig Av. *Ash R* —2H **7**
Haig Av. *Ley* —5H **15**
Haigh Clo. *Chor* —1E **24**
Haigh Cres. *Chor* —1E **24**
Haighton Ct. *Ful* —4A **4**
Haighton Dri. *Ful* —4A **4**
Haighton Grn. La. *Haig* —2C **4**
Half Acre. *Los H* —5A **12**
Halfpenny La. *Hesk* —5C **22**
Hall Cft. *Hut* —3B **10**
Hall Cft. Head. *Hut* —3B **10**
Hall Ga. *Chor* —6E **20**
Hall Grn. La. *Hesk* —5B **22**
Halliwell Ct. Chor —1G **25**
(off Halliwell St.)
Halliwell La. *Chor* —3G **21**
Halliwell Pl. *Chor* —1G **25**
Halliwell St. *Chor* —1G **25**
Hall La. *Ley* —3H **15**
Hall La. *Maw* —5A **22**
Hall Rd. *Ful* —6J **3**
Hall Rd. *Pen* —2J **11**
Hall St. *Ash R* —3G **7**
Hallwood Rd. *Chor* —3E **24**
Halsbury St. *Pres* —6A **8**
Halstead Rd. *Rib* —6D **4**
Halton Av. *Ley* —4B **16**
Halton Pl. *Rib* —7F **5**
Hambleton Dri. *Pen* —3J **11**
Hamer Rd. *Ash R* —1H **7**
Hamilton Gro. *Rib* —1E **8**
Hamilton Rd. *Chor* —1F **25**
Hamilton Rd. *Rib* —7D **4**
Hamlet, The. *Hth C* —7K **25**
Hammond Ct. *Pres* —3J **7**
Hammond's Row. *Pres* —5A **8**
Hammond St. *Pres* —3H **7**
(Bold St., in three parts)
Hammond St. *Pres* —2K **7**
(Garstang Rd.)
Hampden Rd. *Ley* —4J **15**
Hampshire Rd. *Walt D* —2D **12**
Hampson Av. *Ley* —5B **16**
Hampstead Rd. *Rib* —2D **8**
Hampton Clo. *Chor* —7F **21**
Hampton St. *Ash R* —2G **7**
Hanbury St. *Ash R* —3G **7**
Handbridge, The. *Ful* —6J **3**
Hand La. *Maw* —3B **22**
Hanover Av. *Ful* —6H **3**
Hanover St. *Pres* —3K **7**
Harcourt St. *Pres* —3J **7**
Hardacre La. *Whit W* —2F **21**
Hardcastle Rd. *Ful* —1J **7**
Hardman's Yd. *Pres* —5K **7**
Hardwen Av. *Lea* —3A **6**
Hardwick St. *Pres* —4A **8**
Hardy Dri. *Chor* —1E **24**
Hareden Rd. *Rib* —2F **9**
Haredon Clo. *Bam B* —5F **13**
Harestone Av. *Chor* —3E **24**
Harewood. *Chor* —5F **21**
Hare Wood Rd. *Pres* —2B **8**
Hargreaves Av. *Ley* —6K **15**
Hargreaves Ct. *Ing* —7D **2**
Harland St. *Ful* —1H **7**
Harlech Dri. *Ley* —5A **16**
Harling Rd. *Pres* —3D **8**
Harold Ter. *Los H* —5A **12**
Harperley. *Chor* —5F **21**
Harpers La. *Chor* —6H **21**
Harpers St. *Chor* —5H **21**
Harrington Rd. *Chor* —7F **21**
Harrington St. *Pres* —4K **7**
Harris Mus. & Art Gallery. —5A **8**
Harrison La. *Hut* —3F **11**
Harrison Rd. *Chor* —2G **25**
Harrison Rd. *Ful* —6J **3**
Harrison Trad. Est. *Pres* —3C **8**
Harris St. *Pres* —5A **8**
Harrock Rd. *Ley* —5B **16**
Harrop Pl. *Rib* —7E **4**
Hartington Rd. *Pres* —5H **7**
Hartwood Grn. *Chor* —4H **21**

Harvest Dri. *Whit W* —1G **21**
Haslemere Ind. Est. *Ley* —3H **15**
Hassett Clo. *Pres* —6J **7**
Hastings Rd. *Ash R* —3F **7**
Hastings Rd. *Ley* —4K **15**
Hatfield Rd. *Rib* —1E **8**
Havelock Rd. *Bam B* —6E **12**
Havelock Rd. *Pen* —7J **7**
Havelock St. *Pres* —2H **7**
(in four parts)
Hawarden Rd. *Pres* —3E **8**
Haweswater Av. *Chor* —2F **25**
Hawkhurst Av. *Ful* —5H **3**
Hawkhurst Cres. *Ful* —5H **3**
Hawkhurst Rd. *Pen* —1J **11**
Hawkhurst Rd. *Pres* —2B **8**
Hawkins Clo. *Pres* —3J **7**
Hawkins St. *Pres* —3J **7**
(in two parts)
Hawksbury Dri. *Pen* —3H **11**
Hawkshead. *Pen* —2J **11**
Hawkshead Av. *Eux* —6B **20**
Hawkshead Rd. *Rib* —6E **4**
Hawkswood. *E'ston* —2D **22**
Hawthorn Clo. *Ley* —4F **15**
Hawthorn Clo. *New L* —6E **17**
Hawthorn Cres. *Lea* —4A **6**
Hawthorne Av. *High W* —2J **13**
Hawthorne Clo. *Clay W* —3F **17**
Hawthorn Rd. *Rib* —2E **8**
(in two parts)
Hawthorns, The. *E'ston* —1D **22**
Hawthorns, The. *Ful* —5K **3**
Hawthorns, The. *Wood* —1C **2**
Haydock Av. *Ley* —6J **15**
Haydocks La. *Cot* —6B **2**
Haydock St. *Bam B* —3E **12**
Haydon Av. *Los H* —6A **12**
Hayfield Av. *Hogh* —4K **13**
Hayling Pl. *Ing* —7E **2**
Haysworth St. *Pres* —2K **7**
Haywood Clo. *Ful* —3A **4**
Hazel Av. *Bam B* —4G **13**
Hazel Clo. *Bam B* —4F **13**
Hazel Clo. *Pen* —2F **11**
Hazel Coppice. *Lea* —1C **6**
Hazel Gro. *Bam B* —4F **13**
Hazel Gro. *Chor* —4J **21**
Hazel Gro. *Rib* —7G **5**
Hazelhurst Rd. *Rib* —2G **9**
Hazelmere Rd. *Ash R* —3E **6**
Hazelmere Rd. *Ful* —3H **3**
Hazels, The. *Cop* —7C **24**
Hazelwood Clo. *Ley* —5G **15**
Headley Rd. *Ley* —5G **15**
Heald Ho. Rd. *Ley* —7A **16**
Heald St. *Chor* —7J **21**
Healey Vw. *Chor* —5J **21**
Heapey Rd. *Chor & H'pey* —5K **21**
Heather Clo. *Chor* —7J **21**
Heather Gro. *Rib* —1E **8**
Heatherleigh. *Ley* —3F **15**
Heathers, The. *Bam B* —2G **17**
Heatherway. *Ful* —6E **4**
Heathfield Dri. *Rib* —7E **4**
Heathfields. *Hth C* —7K **25**
Heathrow Pl. *Chor* —1E **24**
Heathway. *Ful* —5K **3**
Heatley St. *Pres* —5J **7**
Heaton Clo. *Walt D* —1D **12**
Heaton Mt. Av. *Ful* —4K **3**
Heaton Pl. *Pres* —3E **8**
Heaton St. *Ley* —4G **15**
Hedgerows Rd. *Ley* —6C **14**
Hellifield. *Ful* —4J **3**
Helmsley Grn. *Ley* —4K **15**
Henderson St. *Pres* —1J **7**
(in two parts)
Hendon Pl. *Ash R* —2C **6**
Hennel Ho. *Walt D* —1C **12**
Hennel La. *Los H* —1C **12**
(in three parts)
Hennel La. *Walt D* —3B **12**
Henrietta St. *Pres* —4B **8**
Herbert St. *Ley* —5J **15**
Herbert St. *Pres* —3B **8**
Hereford Gro. *Cot* —6B **2**
Hermon St. *Pres* —3C **8**
(in two parts)
Hern Av. *Los H* —5A **12**

Herschell St. *Pres* —6A **8**
Hesketh Clo. *Rib* —3E **8**
Hesketh Rd. *Rib* —3E **8**
Hesketh St. *Ash R* —3G **7**
Heversham Av. *Ful* —4J **3**
Hewitt St. *Ley* —4K **15**
Hewlett Av. *Cop* —7B **24**
Hewlett St. *Cop* —7C **24**
Hey End. *New L* —5D **10**
Heyes, The. *Clay W* —4F **17**
Heysham St. *Pres* —3J **7**
Heys, The. *Cop* —6D **24**
Heywood Rd. *Ash R* —2C **6**
High Bank. *H'pey* —4K **21**
High Cop. *Brin* —2K **17**
Higher Bank Rd. *Ful* —1K **7**
Higher Cft. *Pen* —3G **11**
(in two parts)
Higher Greenfield. *Ing* —6F **3**
Higher Mdw. *Ley* —5C **16**
Higher Walton Rd.
Walt D & High W —7D **8**
Highfield. *Pen* —3H **11**
Highfield Av. *Far* —3A **16**
Highfield Av. *Ful* —7C **4**
Highfield Av. *Los H* —6E **12**
Highfield Dri. *Ful* —3J **3**
Highfield Dri. *Pen* —3H **11**
Highfield Gro. *Los H* —3C **12**
Highfield Ind. Est. *Chor* —5H **21**
Highfield Rd. *Const* —5A **18**
Highfield Rd. N. *Chor* —5G **21**
Highfield Rd. S. *Chor* —6G **21**
Highgale Gdns. *Los H* —6C **12**
Highgate. *Pen* —7F **7**
Highgate Av. *Ful* —7J **3**
Highgate Clo. *Ful* —7K **3**
High Grn. *Ley* —5G **15**
Highgrove Av. *Char R* —4G **23**
Highgrove Ct. *Ley* —5B **14**
Highgrove Ho. *Chor* —5G **21**
Highland Av. *Pen* —1F **11**
Highrigg Dri. *Brough* —2K **3**
High St. *Chor* —7G **21**
High St. *Pres* —4A **8**
Highways Av. *Eux* —6B **20**
Hillbrook Grn. *Ley* —4H **15**
Hillbrook Rd. *Ley* —4H **15**
Hillcrest Av. *Ful* —3J **3**
Hillcrest Av. *Ing* —7E **2**
Hillcroft. *Ful* —4G **3**
Hillpark Av. *Ful* —7H **3**
Hillpark Av. *Hogh* —4K **13**
Hill Rd. *Ley* —5A **16**
Hill Rd. *Pen* —7G **7**
Hill Rd. S. *Pen* —2G **11**
Hillside. *Whit W* —6G **17**
Hillside Av. *Far M* —6K **11**
Hillside Av. *Ful* —7H **3**
Hillside Clo. *Eux* —6A **20**
Hillside Cres. *Whit W* —5G **17**
Hillside Rd. *Pres* —6C **8**
Hills, The. *Pres* —4H **5**
Hill St. *Pres* —4K **7**
Hill Top. *New L* —7E **10**
Hill Top La. *Whit W* —6G **17**
Hill Vw. Dri. *Cop* —7B **24**
Hill Wlk. *Ley* —4J **15**
Hindley Clo. *Ful* —4C **4**
Hindley St. *Chor* —2F **25**
Hind St. *Pres* —6J **7**
Hodder Av. *Chor* —3F **25**
Hodder Brook. *Rib* —1G **9**
Hodder Clo. *Bam B* —5F **13**
Hodson St. *Bam B* —4E **12**
Hogg's La. *Chor* —3J **25**
Hoghton La. *High W & Hogh*
—2J **13**
Hoghton Rd. *Ley* —5F **15**
Hoghton Vw. *Pres* —6C **8**
Holcombe Gro. *Chor* —6J **21**
Holker Clo. *Hogh* —2K **13**
Holker La. *Ley* —3B **18**
Holland Av. *Walt D* —3E **12**
Holland Ho. Rd. *Walt D* —2D **12**
Holland Lodge. Rib —7F **5**
(off Grange Av.)
Holland Rd. *Ash R* —3G **7**
Hollings. *New L* —6D **10**
Hollinhead Cres. *Ing* —7F **3**

Hollinhurst Av. *Pen* —6G **7**
Hollins Gro. *Ful* —1F **7**
Hollinshead St. *Chor* —7G **21**
Hollins La. *Ley* —2E **18**
Hollins Rd. *Pres* —1B **8**
Hollybank Clo. *Ing* —6D **2**
Holly Clo. *Clay W* —4F **17**
Holly Cres. *Cop* —5C **24**
Holly Pl. *Bam B* —6H **13**
Hollywood Av. *Pen* —2G **11**
Holman St. *Pres* —3C **8**
Holme Rd. *Bam B* —5D **12**
Holme Rd. *Pen* —5G **7**
Holmes Ct. *Pres* —1J **7**
Holme Slack La. *Pres* —1B **8**
Holmes Mdw. *Ley* —5D **14**
Holmfield Cres. *Lea* —3B **6**
Holmfield Rd. *Ful* —7A **4**
Holmrook Rd. *Pres* —3B **8**
Holsands Clo. *Ful* —5E **4**
Holstein St. *Pres* —4A **8**
Holt Av. *Cop* —6D **24**
Holt Brow. *Ley* —1J **19**
Holt La. *Brin* —3H **17**
Homestead. *Bam B* —1F **17**
Homestead Clo. *Pen* —2G **11**
Homestead Farm. *Wstke* —6H **11**
Honeysuckle Clo. *Whit W* —2F **21**
Honeysuckle Row. *Rib* —2E **8**
Honiton Way. *Cot* —5D **2**
Hope St. *Chor* —6G **21**
Hope St. *Pres* —4K **7**
Hope Ter. *Los H* —5A **12**
Hopwood St. *Bam B* —5E **12**
Hopwood St. *Pres* —4A **8**
Horby St. *Pres* —4B **8**
Hornbeam Clo. *Pen* —2F **11**
Hornby Av. *Rib* —7E **4**
Hornby Cft. *Ley* —6D **14**
Hornby Rd. *Chor* —2J **25**
Hornchurch Dri. *Chor* —7E **20**
Hornsea Clo. *Ing* —7E **2**
Hough La. *Ley* —7E **14**
Houghton Clo. *Pen* —2H **11**
Houghton Rd. *Pen* —2G **11**
Houghton St. *Chor* —7H **21**
Houghton St. *Los H* —5A **12**
Houldsworth Rd. *Ful* —1J **7**
Howard Rd. *Chor* —3F **25**
Howarth Rd. *Ash R* —1H **7**
Howe Gro. *Chor* —1E **24**
Howgills, The. *Ful* —4A **4**
Howick Cross La. *Pen* —7B **6**
Howick Moor La. *Pen* —2D **10**
Howick Pk. Av. *Pen* —1D **10**
Howick Pk. Clo. *Pen* —1D **10**
Howick Pk. Dri. *Pen* —1D **10**
Howick Row. *Pen* —7B **6**
Hoylake Clo. *Ful* —5F **3**
Hoyles La. *Cot* —6A **2**
Hudson Ct. *Bam B* —6J **13**
Hudson St. *Pres* —5A **8**
Hugh Barn La. *New L* —6C **10**
Hugh La. *Ley* —3E **14**
Hull St. *Ash R* —4G **7**
Hunniball Ct. *Ash R* —2G **7**
Hunters Lodge. *Walt D* —2D **12**
Hunters Rd. *Ley* —5B **16**
Hunts Fld. *Clay W* —4G **17**
Hunt St. *Pres* —4H **7**
Hurn Gro. *Chor* —1E **24**
Hurst Brook. *Cop* —7D **24**
Hurst Pk. *Pen* —1G **11**
Hurstway. *Ful* —4H **3**
Hurstway Clo. *Ful* —4H **3**
Hutton Hall Av. *Hut* —4C **10**
 (in two parts)

Iddesleigh Rd. *Pres* —3E **8**
Illingworth Rd. *Pres* —3E **8**
Ilway. *Walt D* —2D **12**
Ince La. *E'ston* —3E **22**
Ingleborough Way. *Ley* —4A **16**
Ingle Clo. *Chor* —6H **21**
Ingle Head. *Ful* —1H **3**
Ingleton Rd. *Rib* —7E **4**
Ingol Golf Course. —5F **3**
Ingot St. *Pres* —4H **7**
Inkerman St. *Ash R* —1G **7**

Inskip Rd. *Ash R* —3C **6**
Inskip Rd. *Ley* —4F **15**
Intack Rd. *Longt* —5A **10**
Ipswich Rd. *Rib* —2D **8**
Irongate. *Bam B* —5C **12**
Ironside Clo. *Ful* —7B **4**
Irvin St. *Pres* —3B **8**
Isherwood St. *Pres* —3C **8**
Isleworth Dri. *Chor* —1F **25**
Ivy Bank. *Ful* —5D **8**
Ivy Clo. *Ley* —4C **16**

Jackson Rd. *Chor* —3E **24**
Jackson Rd. *Ley* —5F **15**
Jackson St. *Bam B* —5F **13**
Jackson St. *Chor* —2H **25**
Jacson St. *Pres* —5A **8**
James Pl. *Cop* —7B **24**
James St. *Bam B* —4E **12**
James St. *Pres* —5B **8**
Jane La. *Midg H* —3C **14**
Janice Dri. *Ful* —4H **3**
Jasmine Rd. *Walt D* —2A **12**
Jeffrey Hill Clo. *Pres* —4J **5**
Jemmett St. *Pres* —1J **7**
Jeremiah Horrocks Observatory.
 —1K **7**
Johnspool. *Ful* —5G **3**
John St. *Bam B* —4E **12**
John St. *Cop* —7C **24**
John St. *Ley* —5J **15**
John William St. *Pres* —4C **8**
Jordan St. *Pres* —5J **7**
Jubilee Av. *Lea* —3B **6**
Jubilee Ct. *Ley* —6G **15**
Jubilee Pl. *Chor* —6H **21**
Jubilee Rd. *Los H* —5A **12**
Judd Ho. *Pres* —6J **7**
Judeland. *Chor* —5E **20**
Junction Rd. *Ash R* —5H **7**
Junction Ter. *Eux* —2A **20**
Juniper Cft. *Clay W* —5E **16**
Jutland St. *Pres* —4A **8**

Kane St. *Ash R* —3G **7**
Kaymar Ind. Est. *Pres* —5C **8**
Kay St. *Pres* —5J **7**
Keats Clo. *E'ston* —3F **23**
Keats Way. *Cot* —7B **2**
Kellet Acre. *Los H* —6A **12**
Kellet Av. *Ley* —5B **16**
Kellet La. *Bam B* —7H **13**
Kellett St. *Chor* —7G **21**
Kem Mill La. *Whit W* —6F **17**
Kendal Ho. *Pres* —5A **8**
Kendal St. *Pres* —4J **7**
 (in two parts)
Kenmure Pl. *Pres* —2K **7**
Kennet Dri. *Ful* —3K **3**
Kennett Dri. *Ley* —4K **15**
Kennington Rd. *Ful* —7A **4**
Kensington Av. *Pen* —6F **7**
Kensington Rd. *Chor* —1F **25**
Kent Av. *Walt D* —2D **12**
Kent Dri. *Ley* —4B **16**
Kentmere Av. *Far* —3J **15**
Kentmere Av. *Walt D* —3D **12**
Kent St. *Pres* —2K **7**
Kenyon La. *H'pey* —7K **17**
Kerr Pl. *Pres* —4H **7**
Kershaw St. *Chor* —6J **21**
Kew Gdns. *Far* —3K **15**
Kew Gdns. *Pen* —7F **7**
Kidlington Clo. *Los H* —5C **12**
Kidsgrove. *Ing* —6D **2**
Kilcranan Clo. *Chor* —7H **21**
Kilmuir Clo. *Ful* —6C **4**
Kilncroft. *Clay W* —3F **17**
Kilngate. *Los H* —2C **12**
Kilruddery Rd. *Pres* —7J **7**
Kilsby Clo. *Walt D* —2E **12**
Kilshaw St. *Pres* —4K **7**
Kilworth Height. *Ful* —6G **3**
Kimberley Rd. *Ash R* —2G **7**
Kimberley St. *Cop* —7C **24**
Kingfisher St. *Pres* —2B **8**
Kingsbridge Clo. *Pen* —4J **11**
Kings Ct. *Ley* —5J **15**

Kings Cres. *Ley* —5J **15**
King's Cft. *Walt D* —7D **8**
King's Cft. M. *Walt D* —7D **8**
Kingsdale Av. *Rib* —6D **4**
Kingsdale Clo. *Ley* —1K **19**
Kingsdale Clo. *Walt D* —7F **9**
Kings Dri. *Ful* —6H **3**
Kingsfold Dri. *Pen* —3G **11**
Kingshaven Dri. *Pen* —3J **11**
Kings Lea. *Adl* —7K **25**
Kingsley Dri. *Chor* —3E **24**
Kingsley Rd. *Cot* —5C **2**
Kingsmead. *Chor* —3G **25**
Kingsmuir Av. *Ful* —7D **4**
King St. *Chor* —2H **25**
King St. *Ley* —5J **15**
King St. *Los H* —6B **12**
Kingsway. *Ash R* —2D **6**
Kingsway. *Bam B* —5E **12**
Kingsway. *Eux* —5C **20**
Kingsway. *Ley* —7G **15**
Kingsway. *Pen* —6F **7**
Kingsway Av. *Brough* —1G **3**
Kingsway W. *Pen* —6E **6**
Kingswood Rd. *Ley* —5J **15**
Kingswood St. *Pres* —5J **7**
Kirkby Av. *Ley* —5C **16**
Kirkham Clo. *Ley* —5F **15**
Kirkham St. *Pres* —4J **7**
Kirkland Pl. *Ash R* —4C **6**
Kirkstall Clo. *Chor* —3H **25**
Kirkstall Dri. *Chor* —3H **25**
Kirkstall Rd. *Chor* —3H **25**
Kittlingbourne Brow. *High W*
 —2G **13**
Knebworth Clo. *Clay W* —4G **17**
Knot Acre. *New L* —5E **10**
Knot La. *Walt D* —7D **8**
Knowles St. *Chor* —2G **25**
Knowles St. *Pres* —4D **8**
Knowley Brow. *Chor* —5J **21**
Knowsley Av. *Far* —2A **16**
Knowsley Rd. *Ley* —6A **16**
Knowsley St. *Pres* —5A **8**
 (in two parts)
Korea Rd. *Ful* —6B **4**

Laburnum Av. *Los H* —5B **12**
Laburnum Clo. *Pres* —1C **8**
Laburnum Rd. *Ful* —3H **3**
Laburnum Rd. *Chor* —4G **21**
Lacy Av. *Pen* —3J **11**
Lady Crosse Dri. *Whit W* —7G **17**
Lady Hey Cres. *Lea* —3A **6**
Ladyman St. *Pres* —5J **7**
Lady Pl. *Walt D* —1E **12**
Ladysmith Rd. *Ash R* —2G **7**
Lady St. *Pres* —4K **7**
Ladyway Dri. *Ful* —4C **4**
Ladywell St. *Pres* —4J **7**
Lakeland Gdns. *Chor* —3E **24**
Lambert Clo. *Rib* —1E **8**
Lambert Rd. *Rib* —1D **8**
Lancashire Dri. *Ley* —2J **15**
Lancashire Enterprise Bus. Pk. *Ley*
 —2J **15**
Lancashire Lynx R.L.F.C. —2H **25**
 (off Duke St., Victory Pk.)
Lancaster Av. *Ley* —5C **16**
Lancaster Ct. *Chor* —5G **21**
Lancastergate. *Ley* —6H **15**
Lancaster Ho. *Ley* —3J **15**
Lancaster Ho. *Pres* —5A **8**
Lancaster La. *Ley* —5B **16**
Lancaster Rd. *Pres* —4K **7**
Lancaster Rd. N. *Pres* —3K **7**
Lancaster St. *Cop* —7D **24**
Lancaster Way. Pres —4A **8**
 (off St John's Shop. Cen.)
Land La. *Longt* —7B **10**
Landseer St. *Pres* —3C **8**
Lane Ends Trad. Est. *Ash R* —1G **7**
Langcliffe Rd. *Rib* —7E **4**
Langdale Clo. *Walt D* —4D **12**
Langdale Ct. *Pen* —1G **11**
Langdale Cres. *Rib* —1E **8**
Langdale Gro. *Whit W* —7F **17**
Langdale Rd. *Ley* —1J **19**
Langdale Rd. *Rib* —1E **8**

Langden Cres. *Bam B* —6F **13**
Langden Dri. *Rib* —1G **9**
Langden Fold. *Grims* —2K **5**
Langfield Clo. *Ful* —3K **3**
Langholme Clo. *Ley* —6F **15**
Langholme Rd. *Ful* —1E **10**
Langport Clo. *Ful* —3K **3**
Langton Brow. *E'ston* —3E **22**
Langton Clo. *E'ston* —3F **23**
Langton Clo. *Ley* —6E **14**
Langton St. *Pres* —5H **7**
Lansborough Clo. *Ley* —6C **14**
Lansdown Hill. *Ful* —3G **3**
Lappet Gro. *Cot* —6C **2**
Larch Av. *Chor* —5J **21**
Larches Av. *Ash R* —3D **6**
Larches La. *Ash R* —3C **6**
Larch Ga. *Ful* —4C **4**
Larch Ga. *Pen* —7K **7**
Larch Gro. *Bam B* —4F **13**
Larchwood. *Ash R* —3C **6**
Larchwood. *Pen* —1F **11**
Larchwood Cres. *Ley* —5G **15**
Lark Av. *Pen* —1J **11**
Larkfield. *E'ston* —2D **22**
Lark Hill. *High W* —2H **13**
Larkhill Rd. *Pres* —5B **8**
Larkhill St. *Pres* —5B **8**
Latham St. *Pres* —6A **8**
Latimer Dri. *New L* —5D **10**
Lauderdale Cres. *Rib* —7F **5**
Lauderdale Rd. *Rib* —7F **5**
Lauderdale St. *Pres* —6J **7**
Laund, The. *Ley* —5C **14**
Laurel Av. *Eux* —4K **19**
Laurel Bank Av. *Ful* —1G **7**
Laurels, The. *Cop* —6D **24**
Laurel St. *Pres* —5A **8**
Lavender Clo. *Ful* —5C **4**
Lavender Gro. *Chor* —3G **25**
Lawnwood Av. *Chor* —3E **24**
Lawrence Av. *Pres* —7B **8**
Lawrence Av. *Walt D* —3D **12**
Lawrence La. *E'ston* —1E **22**
Lawrence Rd. *Chor* —1F **25**
Lawrence Rd. *Pen* —7F **7**
Lawrence St. *Ful* —1H **7**
Lawson St. *Chor* —7J **21**
Lawson St. *Pres* —4K **7**
Laxey Gro. *Pen* —1D **8**
Layton Rd. *Ash R* —3C **6**
Leach Pl. *Bam B* —5H **13**
Leadale. *Lea* —2B **6**
Leadale Grn. *Ley* —5F **15**
Leadale Rd. *Ley* —5F **15**
Leafy Clo. *Ley* —7K **15**
Leagram Cres. *Rib* —1F **9**
Lea Rd. *Cot & Lea T* —7A **2**
Lea Rd. *Whit W* —2G **21**
Leek St. *Pres* —4E **8**
Leesands Clo. *Ful* —6D **4**
Leeson Av. *Chor* —4B **24**
 (in two parts)
Leeward Rd. *Ash R* —4D **6**
Leicester Lodge. Rib —7F **5**
 (off Grange Av.)
Leicester Rd. *Pres* —3A **8**
Leigh Brow. *Bam B* —3B **12**
Leigh Row. *Chor* —1G **25**
Leigh St. *Chor* —1G **25**
Leighton St. *Pres* —4J **7**
Lennon St. *Chor* —1G **25**
Lennox St. *Pres* —5A **8**
Leo Case Ct. *Pres* —4D **8**
Letchworth Dri. *Chor* —2F **25**
Letchworth Pl. *Chor* —2F **25**
Levens Dri. *Ley* —4B **16**
Levensgarth Av. *Ful* —3K **3**
Levens St. *Pres* —3D **8**
Lever Ho. La. *Ley* —4A **16**
Lex St. *Pres* —4C **8**
Leyburn Clo. *Rib* —6E **4**
Leyfield. *Pen* —3H **11**
Leyfield Rd. *Ley* —5H **15**
Leyland Golf Course. —6B **16**
Leyland La. *Ley* —5E **18**
Leyland Rd. *Pen & Los H* —7H **7**
Leyland Way. *Ley* —5K **15**
Leyton Av. *Ley* —7F **15**
Leyton Grn. *Ley* —7G **15**

Library Rd.—Mere Clo.

Library Rd. *Clay W* —2F **17**
Library St. *Chor* —1G **25**
Library St. *Pres* —5A **8**
Lichen Clo. *Char R* —4B **24**
Lichfield Rd. *Ash R* —2D **6**
Lichfield Rd. *Chor* —2F **25**
Lidget Av. *Lea* —3A **6**
Liege Rd. *Ley* —6J **15**
Lightfoot Clo. *Ful* —3H **3**
Lightfoot Grn. La. *L Grn* —3F **3**
Lightfoot La. *High B & Ful* —4D **2**
(in three parts)
Lighthurst Av. *Chor* —2G **25**
Lighthurst La. *Chor* —3H **25**
Lilac Av. *Pen* —3K **11**
Lilac Gro. *Pres* —1C **8**
Lily Gro. *Pres* —1C **8**
Limbrick Rd. *Chor* —1J **25**
Lime Chase. *Ful* —3G **3**
Lime Clo. *Pen* —1E **10**
Lime Gro. *Ash R* —2D **6**
Lime Gro. *Chor* —3G **25**
Limes Av. *Eux* —3A **20**
Limes, The. *Pres* —3B **8**
Lincoln Chase. *Lea* —3A **6**
Lincoln Ho. Pres —5B **8**
(off Arundel Pl.)
Lincoln St. *Pres* —3B **8**
Lincoln Wlk. *Pres* —3B **8**
Lindale Av. *Grims* —2K **5**
Lindale Rd. *Ful* —7A **4**
Linden Clo. *Los H* —4B **12**
Linden Dri. *Los H* —5B **12**
Linden Gro. *Chor* —4H **21**
Linden Gro. *Rib* —1E **8**
Lindle Av. *Hut* —3C **10**
Lindle Clo. *Hut* —3C **10**
Lindle Cres. *Hut* —3C **10**
Lindle La. *Hut* —2C **10**
Lindley St. *Los H* —5A **12**
Lindsay Av. *Ley* —5K **15**
Lindsay Dri. *Chor* —1E **24**
Lingwell Clo. *Whit W* —2G **21**
Linksfield. *Ful* —1G **7**
Links Ga. *Ful* —1G **7**
Links Rd. *Pen* —6F **7**
Linnet St. *Pres* —2B **8**
Linton Gro. *Pen* —7E **6**
Linton St. *Ful* —1H **7**
Liptrott Rd. *Chor* —3E **24**
Lit. Banks Clo. *Bam B* —7H **13**
Lit. Carr La. *Chor* —3H **25**
Little Clo. *Pen* —2G **11**
Liverpool Rd. *Hut & Pen* —4A **10**
Livesey St. *Pres* —5B **8**
Lockhart Rd. *Pres* —2K **7**
Lockside Rd. *Ash R* —5D **6**
Lodge Clo. *Bam B* —4F **13**
Lodge La. *Far M* —6H **11**
Lodge St. *Pres* —4H **7**
(in two parts)
Lodge Vw. *Far M* —6J **11**
Lodge Vw. *Pen* —2K **11**
Lodgings, The. *Ful* —5C **4**
London Rd. *Pres* —4B **8**
London Way. *Walt D* —1C **12**
Long Acre. *Bam B* —1G **17**
Longbrook Av. *Bam B* —3E **12**
Long Butts. *Pen* —3H **11**
Long Clo. *Ley* —6C **14**
Long Copse. *Chor* —6D **20**
Long Cft. Mdw. *Chor* —4F **21**
Longfield. *Ful* —3J **3**
Longfield. *Pen* —7F **7**
Longfield Av. *Cop* —6C **24**
Longfield Mnr. *Chor* —3E **24**
Long La. *Hth C* —3K **25**
Longley Clo. *Ful* —3K **3**
Long Mdw. *Chor* —3E **24**
Longmeanygate. *Midg H & Ley*
—4C **14**
Long Moss. *Ley* —6C **14**
Long Moss La. *New L & Wstke*
—7C **10**
Longridge Rd. *Rib & Grims*
—7F **5**
Longsands La. *Ful* —6C **4**
Longton By-Pass. *L Hoo & Longt*
—7A **10**
Longton St. *Chor* —7J **21**

Longworth Av. *Cop* —6D **24**
(in two parts)
Longworth St. *Bam B* —3E **12**
Longworth St. *Chor* —2F **25**
Longworth St. *Pres* —3C **8**
Lonmore. *Walt D* —2D **12**
Lonsdale Chase. *Los H* —5A **12**
Lonsdale Clo. *Ley* —1J **19**
Lonsdale Rd. *Pres* —3C **8**
Lord Nelson Wharf. *Ash R* —4F **7**
Lord's Av. *Los H* —6B **12**
Lords Cft. *Los H* —6B **12**
Lord's La. *Pen* —4J **11**
Lord St. *Chor* —1H **25**
Lord St. *E'ston* —3E **22**
Lord St. *Pres* —4A **8**
Lord St. *Whit W* —5G **17**
Lord's Wlk. *Pres* —4A **8**
Lorne St. *Chor* —1G **25**
Lorraine Av. *Ful* —1J **7**
Lorton Clo. *Ful* —5K **3**
Lostock Ct. *Los H* —6B **12**
Lostock La. *Los H & Bam B*
—6C **12**
Lostock Mdw. *Clay W* —5E **16**
Lostock Sq. *Los H* —6B **12**
Lostock Vw. *Los H* —6A **12**
Lourdes Av. *Los H* —4A **12**
Lovat Rd. *Pres* —2K **7**
Low Cft. *Wood* —1F **3**
Lwr. Bank Rd. *Ful* —1K **7**
Lwr. Burgh Way. *Chor* —4E **24**
Lwr. Copthurst La. *Whit W* —7J **17**
Lwr. Croft. *Pen* —3H **11**
Lwr. Field. *Far M* —7K **11**
Lwr. Greenfield. *Ing* —7F **3**
Lwr. Hill Dri. *Hth C* —7K **25**
Lwr. House Rd. *Ley* —6G **15**
Lowesby Clo. *Walt D* —2E **12**
Low Grn. *Ley* —5H **15**
Lowick Clo. *Hogh* —1K **13**
Lowndes St. *Pres* —2J **7**
(in two parts)
Lowood Gro. *Lea* —3B **6**
Lowry Clo. *Los H* —6A **12**
Lowther Cres. *Ley* —3F **15**
Lowther Dri. *Ley* —4F **15**
Lowther St. *Ash R* —3G **7**
Lowthian Ho. Pres —4K **7**
(off Lowthian St.)
Lowthian St. *Pres* —4K **7**
Lowthorpe Cres. *Pres* —2B **8**
Lowthorpe Pl. *Pres* —2B **8**
Lowthorpe Rd. *Pres* —1B **8**
Loxley Grn. *Ful* —5C **4**
Loxwood Clo. *Walt D* —2A **12**
Lucas Av. *Char R* —1B **24**
Lucas Dri. *Whit W* —1G **21**
Lucas La. *E. Whit W* —2G **21**
Lucerne Clo. *Ful* —7C **4**
Lucerne Rd. *Ful* —7C **4**
Lulworth Av. *Ash R* —2H **7**
Lulworth Pl. *Walt D* —3D **12**
Lulworth Rd. *Ful* —7A **4**
Lund St. *Pres* —4K **7**
Lune Dri. *Ley* —4C **16**
Lune St. *Pres* —5K **7**
Lupin Clo. *Whit W* —2F **21**
Lupton St. *Chor* —1G **25**
Luton Rd. *Ash R* —2C **6**
Lutwidge Av. *Pres* —3C **8**
Lutwidge St. *Pres* —4B **8**
Lychfield Dri. *Bam B* —6E **12**
Lychgate. *Pres* —4A **8**
Lydd Clo. *Chor* —1E **24**
Lydgate. *Chor* —3E **24**
Lydiate La. *E'ston* —7D **18**
Lydiate La. *Ley* —2A **16**
Lydric Av. *Hogh* —3K **13**
Lyndale Av. *Los H* —3C **12**
Lyndale Clo. *Ley* —1K **19**
Lyndale Gro. *Los H* —3C **12**
Lyndeth Clo. *Ful* —5E **4**
Lyndhurst Dri. *Ash R* —2C **6**
Lynn Pl. *Rib* —2D **8**
Lynton Av. *Ley* —6A **16**
Lynwood Av. *Grims* —1J **5**
Lyons La. *Chor* —1H **25**
Lytham Clo. *Ful* —1H **7**

Lytham Rd. *Ash R* —1G **7**
Lytham St. *Chor* —1J **25**
Lythcoe Av. *Ful* —7G **3**

M
Mackay Cft. *Chor* —7H **21**
Mackenzie Clo. *Chor* —7H **21**
McKenzie St. *Bam B* —5F **13**
Maddy St. *Pres* —4H **7**
Mafeking Rd. *Ash R* —2G **7**
Magnolia Clo. *Ful* —5C **4**
Magnolia Dri. *Ley* —4C **16**
Magnolia Rd. *Pen* —2F **11**
Main Sprit Weind. *Pres* —5A **8**
Mainway St. *Bam B* —5E **12**
Maitland Clo. *Pres* —4C **8**
Maitland St. *Pres* —4C **8**
(in two parts)
Malcolm St. *Pres* —3D **8**
Malden St. *Ley* —5J **15**
Maldon Pl. *Rib* —2D **8**
Malham Pl. *Rib* —7E **4**
Mallard Clo. *Ley* —6F **15**
Mallards Wlk. *Bam B* —1E **16**
Mallom Av. *Eux* —6C **20**
Mall, The. *Rib* —2E **8**
Malthouse Ct. *Ash R* —3H **7**
Malthouse, The. *Ash R* —3H **7**
Malthouse Way. *Pen* —2H **11**
Maltings, The. *Pen* —1H **11**
Malton Dri. *Los H* —6A **12**
Malvern Av. *Pres* —7B **8**
Malvern Clo. *Los H* —5C **12**
Malvern Ho. *Pres* —3J **11**
Malvern Rd. *Pres* —6B **8**
Manchester Mill Ind. Est. *Pres*
—4C **8**
Manchester Rd. *Pres* —5A **8**
Manning Rd. *Pres* —3E **8**
(in two parts)
Manor Av. *Ful* —7B **4**
Manor Av. *Pen* —1F **11**
Manor Ct. *Ful* —4F **3**
Manor Gro. *Pen* —1E **10**
Manor Ho. Clo. *Ley* —6D **14**
Manor Ho. Cres. *Pres* —1B **8**
Manor Ho. La. *Pres* —1B **8**
Manor La. *Pen* —1E **10**
Manor Pk. *Ful* —1C **8**
Manor Rd. *Clay W* —3F **17**
Manston Gro. *Chor* —1E **24**
Maplebank. *Lea* —3A **6**
Maple Dri. *Bam B* —4F **13**
Maple Gro. *Chor* —4H **21**
Maple Gro. *Grims* —2K **5**
Maple Gro. *Pen* —1F **11**
Maple Gro. *Rib* —7G **5**
Maples, The. *Ley* —1B **18**
Maplewood Clo. *Ley* —6G **15**
Marathon Pl. *Ley* —3E **14**
Mardale Cres. *Ley* —7K **15**
Mardale Rd. *Pres* —3G **9**
Maresfield Rd. *Pres* —7H **7**
Margaret Rd. *Pen* —1J **11**
Margaret St. *Pres* —4A **8**
Margate Rd. *Ing* —7E **2**
Marilyn Av. *Los H* —5B **12**
Marina Clo. *Los H* —4A **12**
Marina Dri. *Ful* —4J **3**
Marina Dri. *Los H* —4A **12**
Marina Gro. *Los H & Pen* —4A **12**
Mariners Way. *Ash R* —4E **6**
Maritime Way. *Ash R* —5D **6**
Mark Clo. *Pen* —4K **11**
Market Pl. *Chor* —7G **21**
Market Pl. *Pres* —5K **7**
Market Sq. *Pres* —4K **7**
Market St. *Chor* —7G **21**
Market St. W. *Pres* —4K **7**
Market Wlk. *Chor* —7G **21**
Markham St. *Ash R* —2H **7**
Markland St. *Pres* —5J **7**
Mark's Av. *Far M* —1G **15**
Marl Av. *Pen* —1F **11**
Marlborough Dri. *Ful* —4H **3**
Marlborough Dri. *Walt D* —1D **12**
Marlborough St. *Chor* —6J **21**
Marl Cft. *Pen* —3H **11**
Marlfield Clo. *Ing* —6D **2**
Marl Hill Cres. *Rib* —2G **9**

Marron Clo. *Ley* —6G **15**
Marsden Clo. *E'ston* —1D **22**
Marsett Pl. *Rib* —6E **4**
Marshall Gro. *Pres* —7E **2**
Marshall Ho. Pres —4K **7**
(off Ring Way)
Marshall's Brow. *Pen* —2J **11**
Marshall's Clo. *Pen* —1J **11**
Marsh La. *Brin* —3K **17**
Marsh La. *Pres* —5H **7**
Marsh Way. *Pen* —3G **11**
Marston Clo. *Ful* —4G **3**
Marston Moor. *Ful* —4G **3**
Martindales, The. *Clay W* —3E **16**
Martinfield. *Ful* —3K **3**
Martinfield Rd. *Pen* —3H **11**
Martins Av. *Hth C* —6J **25**
Marton Rd. *Ash R* —4D **6**
Marybank Clo. *Ful* —5C **4**
Masefield Pl. *Walt D* —3D **12**
Masonfield. *Bam B* —1F **17**
Mason Hill Vw. *Ful* —7A **4**
Mason Ho. Cres. *Ing* —6E **2**
Mason St. *Chor* —5J **21**
Masonwood. *Ful* —5A **4**
Matlock Pl. *Ing* —6E **2**
Matterdale Rd. *Ley* —7K **15**
Maudland Bank. *Pres* —4J **7**
Maudland Rd. *Pres* —4J **7**
Maud St. *Chor* —2F **25**
Maureen Av. *Los H* —5B **12**
Mavis Dri. *Cop* —7C **24**
Mayfield Av. *Ing* —6E **2**
(in two parts)
Mayfield Av. *Los H* —5C **12**
Mayfield Rd. *Ash R* —3F **7**
Mayfield Rd. *Chor* —6H **21**
Mayfield Rd. *Ley* —7J **15**
Mayflower Av. *Pen* —2E **10**
Maynard St. *Ash R* —2H **7**
Maypark. *Bam B* —1E **16**
Mead Av. *Ley* —6K **15**
Meadow Bank. *Bam B* —2F **17**
Meadow Bank. *Pen* —2G **11**
Meadowbarn Clo. *Cot* —6C **2**
Meadow Ct. *Pres* —6J **7**
Meadowcroft. *Eux* —4K **19**
Meadowcroft Rd. *Ley* —7F **15**
Meadowfield. *Ful* —3K **3**
Meadowfield. *Pen* —3J **11**
Meadowlands. *Char R* —4B **24**
Meadow La. *Bam B* —2F **17**
Meadow Reach. *Pen* —2F **11**
Meadowside Dri. *Hogh* —4K **13**
Meadows, The. *Hesk* —6G **23**
Meadow St. *Ley* —5J **15**
Meadow St. *Pres* —4A **8**
Meadow St. *Wheel* —7K **17**
Meadow, The. *Ley* —5D **14**
Meadow Va. *Ley* —6C **14**
Meadow Way. *Cop* —7B **24**
Meads Rd. *Ash R* —3F **7**
Meadway. *Clay W* —3F **17**
Meadway. *Pen* —7E **6**
Mealhouse La. *Chor* —7G **21**
Meanygate. *Bam B* —5E **12**
Mearley Rd. *Rib* —7E **4**
Meath Pen —6H **7**
Medway. *Ful* —5K **3**
Medway Clo. *Los H* —4B **12**
Medway Ho. Pres —4D **8**
(off Leo Case Ct.)
Melba Rd. *Rib* —1E **8**
Melbert Av. *Ful* —1G **7**
Melbourne St. *Pres* —4K **7**
Melford Clo. *Chor* —4J **21**
Mellia Dri. *Ley* —4C **16**
Mellings Fold. *Pres* —6C **8**
Melling St. *Pres* —4K **7**
Mellor Pl. *Pres* —5B **8**
Mellor Rd. *Ley* —4F **15**
Melrose Av. *Ful* —6B **4**
Melrose Way. *Chor* —2H **25**
Melton Pl. *Ley* —5J **15**
Menai Dri. *Ful* —4H **3**
Mendip Rd. *Ley* —5B **16**
Mercer Ct. *Hth C* —7K **25**
Mercer Rd. *Los H* —4A **12**
Mercer St. *Pres* —4C **8**
Mere Clo. *Brough* —1G **3**

Orchard Wlk. *Grims* —1J **5**
Ord Rd. *Ash R* —2G **7**
Ormskirk Rd. *Pres* —4A **8**
Orrell Clo. *Ley* —5F **15**
Orrest Rd. *Pres* —3G **9**
Osborne Dri. *Clay W* —4G **17**
Osborne Rd. *Walt D* —2D **12**
Osborne St. *Pres* —5J **7**
Osprey Pl. *Ley* —4E **14**
Oswald Rd. *Ash R* —3G **7**
Otters Clo. *Rib* —2F **9**
Otway St. *Pres* —7J **7**
Outram Way. *Bam B* —5E **12**
Overton Rd. *Ash R* —4C **6**
Owens St. *Chor* —1J **25**
Owen St. *Pres* —4B **8**
Owtram St. *Pres* —4C **8**
Oxford Rd. *Bam B* —5F **13**
Oxford Rd. *Ful* —7H **3**
Oxford St. *Chor* —1G **25**
Oxford St. *Pres* —5A **8**
Ox Hey Av. *Lea* —2A **6**
Oxheys Ind. Est. *Pres* —2H **7**
Oxheys St. *Pres* —2H **7**
Oxley Rd. *Pres* —3D **8**
(in two parts)

Paddock Av. *Ley* —6C **14**
Paddock, The. *Ful* —5A **4**
Paddock, The. *Pen* —3J **11**
Padway. *Pen* —3H **11**
Pages Ct. *Los H* —6B **12**
Paley Rd. *Pres* —5H **7**
Pall Mall. *Chor* —2G **25**
Paradise Clo. *Whit W* —6F **17**
Paradise La. *Ley* —5D **14**
Paradise St. *Chor* —4K **21**
Park Av. *Eux* —5B **20**
Park Av. *New L* —4C **10**
Park Av. *Pres* —2B **8**
Park Clo. *Pen* —7H **7**
Park Dri. *Lea* —3B **6**
Parker La. *Wstke* —7G **11**
(in two parts)
Parker St. *Ash R* —2H **7**
Parker St. *Chor* —6G **21**
Parkfield Av. *Ash R* —2F **7**
Parkfield Clo. *Lea* —3A **6**
Parkfield Clo. *Ley* —6E **14**
Parkfield Cres. *Lea* —4A **6**
Parkfield Vw. *Lea* —4A **6**
Parkgate Dri. *Ley* —7G **15**
Pk. Hall Rd. *Char R & Hesk*
　—4G **23**
Parklands Av. *Pen* —1E **10**
Parklands Clo. *Pen* —1E **10**
Parklands Gro. *Ful* —3J **3**
Park La. *Pen* —2J **11**
Pk. Mill Pl. *Pres* —3A **8**
Park Pl. Pres —5K **7**
(off Glovers Ct.)
Park Pl. *Walt D* —1E **12**
Park Rd. *Chor* —6G **21**
Park Rd. *Cop* —7C **24**
Park Rd. *Ful* —7A **4**
Park Rd. *Ley* —7J **15**
Park Rd. *Pres* —1H **11**
(in two parts)
Parkside. *Lea* —2B **6**
Parkside. *Pres* —1B **8**
Parkside Av. *Chor* —7G **21**
Parkside Dri. *Whit W* —1F **21**
Parkside Dri. S. *Whit W* —1F **21**
Park St. *Chor* —6G **21**
Park St. *E'ston* —2E **22**
Parkthorn Rd. *Lea* —4A **6**
Park Vw. *H'pey* —4K **21**
Park Vw. *Pen* —1H **11**
Pk. View Av. *Ash R* —2F **7**
Park Wlk. *Ful* —1A **8**
Park Way. *Pen* —1H **11**
Park Way Cvn. Site. *Pen* —1H **11**
Parlick Rd. *Rib* —2F **9**
Parr Cottage Clo. *E'ston* —1E **22**
Parr La. *E'ston* —1E **22**
Parrock Clo. *Pen* —2J **11**
Parsons Brow. *Chor* —1G **25**

Pasture Fld. Clo. *Ley* —5E **14**
Pastures, The. *Grims* —2J **5**
Patten St. *Pres* —4K **7**
Pavilions, The. *Ash R* —5G **7**
Peachtree Clo. *Ful* —5D **4**
Peacock Hall Rd. *Ley* —7F **15**
Peacockhill Clo. *Pen* —4H **5**
Pearfield. *Ley* —4J **15**
Pear Tree Av. *Cop* —5C **24**
Pear Tree Clo. *Walt D* —3E **12**
Pear Tree Cres. *Walt D* —3E **12**
Pear Tree La. *Eux* —4C **20**
Pear Tree Rd. *Clay W* —3F **17**
Pear Tree St. *Bam B* —3E **12**
Pechell St. *Ash R* —3G **7**
Pedder's Gro. *Ash R* —4E **6**
Pedder's La. *Ash R* —4E **6**
Pedder St. *Ash R* —4H **7**
Pedder's Way. *Ash R* —4E **6**
Peel Hall St. *Pres* —3B **8**
Peel St. *Ash R* —4J **7**
Peel St. *Chor* —1G **25**
Pembroke Pl. *Chor* —2F **25**
Pembroke Pl. *Ley* —6J **15**
Pembroke Pl. *Pres* —5A **8**
Pembury Av. *Pen* —2K **11**
Pendle Hill Clo. *Pres* —4J **5**
Pendle Rd. *Ley* —5B **16**
Penguin St. *Pres* —2B **8**
Pennine Av. *Eux* —6B **20**
Pennine Rd. *Chor* —7J **21**
Pennines, The. *Ful* —4A **4**
Penny St. *Pres* —4A **8**
Penwortham Ct. *Pen* —1H **11**
Penwortham Golf Course. —5F **7**
Penwortham Hall Gdns. *Pen*
　—2J **11**
Penwortham Way. *Pres* —3F **11**
Penwortham Way. *Wstke* —4G **11**
Pen-y-Ghent Way. *Ley* —4A **16**
Percy St. *Chor* —1H **25**
Percy St. *Pres* —4A **8**
Peregrine Pl. *Ley* —4F **15**
Peterfield Rd. *Pen* —3H **11**
Petersan Ct. *Chor* —4G **21**
Peter St. *Chor* —7G **21**
Petunia Clo. *Ley* —4C **16**
Pickerings, The. *Los H* —5C **12**
Pikestone Ct. *Chor* —1J **25**
Pilling Clo. *Chor* —2H **25**
Pilling La. *Chor* —3G **25**
Pincock Brow. *Eux* —7A **20**
Pincock St. *Eux* —6A **20**
Pine Clo. *Rib* —7F **5**
Pine Gro. *Chor* —4H **21**
Pines Clo. *Bam B* —2G **17**
Pines, The. *Ley* —6B **14**
Pine Walks. *Lea* —3A **6**
Pineway. *Ful* —7G **3**
Pinewood Clo. *Ley* —6G **15**
Pinfold Clo. *Ful* —6E **4**
Pinfold St. *Pres* —4D **8**
Pingle Cft. *Clay W* —4E **16**
Pintail Clo. *Ley* —5B **14**
Pippin St. *Brin* —2J **17**
Pitman Ct. *Ful* —3B **4**
Pitman Way. *Ful* —3B **4**
(in two parts)
Pitt St. *Pres* —5J **7**
Plant St. *Ash R* —3G **7**
Pleasant Vw. *Cop* —6D **24**
Plevna Rd. *Pres* —4C **8**
Plock Grn. *Chor* —3G **25**
Ploughlands, The. *Ash R* —3C **6**
Plover St. *Pres* —2B **8**
Plumpton Fld. *Wood* —1C **2**
Plumpton Rd. *Ash R* —2G **7**
Plumtree Clo. *Ful* —5C **4**
Plungington Rd. *Ful & Pres* —1H **7**
Plymouth Gro. *Chor* —7J **21**
Polefield. *Ful* —4J **3**
Pole La. *Pres* —4A **8**
Pollard St. *Pres* —4J **7**
Poole Rd. *Ful* —7A **4**
Pool Ho Ct. *Ing* —5E **2**
Pool Ho. La. *Ing* —6D **2**
Pope La. *Rib* —2F **9**
Pope La. *Wstke & Pen* —6F **11**
Pope Wlk. *Pen* —2H **11**
Poplar Av. *Bam B* —4F **13**

Poplar Av. *Eux* —3A **20**
Poplar Clo. *Bam B* —4F **13**
Poplar Dri. *Pen* —7G **7**
Poplar Gro. *Bam B* —4F **13**
Poplar Gro. *Rib* —7G **5**
Poplar St. *Chor* —2H **25**
Poppy Av. *Chor* —5H **21**
Poppyfield. *Cot* —5D **2**
Porter Pl. *Pres* —6A **8**
Porter St. *Pres* —3B **8**
Portland St. *Chor* —7H **21**
Portland St. *Pres* —5H **7**
Portman St. *Pres* —3B **8**
Portree Clo. *Ful* —6C **4**
Portsmouth Dri. *Chor* —7J **21**
Port Way. *Ash R* —4G **7**
Potter La. *High W* —6J **9**
Potter La. *Sam* —3K **9**
Poulton Cres. *Hogh* —2K **13**
Poulton St. *Ash R* —3G **7**
Powis Rd. *Ash R* —4E **6**
Poynter St. *Pres* —3C **8**
Preesall Clo. *Ash R* —3C **6**
Preesall Rd. *Ash R* —3C **6**
Preston Ent. Cen. *Pres* —3K **7**
Preston Golf Course. —5B **4**
Preston Grasshoppers R.U.F.C.
　(Lightfoot Grn. La.) —3F **3**
Preston New Rd. *Sam & Mel B*
　(in two parts) —3H **9**
Preston Nook. *E'ston* —3E **22**
Preston North End F.C. —2B **8**
　(Deepdale)
Preston Rd. *Bam B & Clay W*
　—7G **13**
Preston Rd. *Char R* —5K **23**
Preston Rd. *Cop & Stand* —7A **24**
Preston Rd. *Grims* —3J **5**
Preston Rd. *Ley* —4K **15**
Preston Sports Arena. —1B **6**
Preston St. *Chor* —5G **21**
Preston Technology Cen. *Pres*
　—4H **7**
Pretoria St. *Bam B* —5E **12**
Primrose Clo. *Pres* —1C **8**
Primrose Hill. *Pres* —5B **8**
Primrose Hill Rd. *Eux* —4K **19**
Primrose La. *Pres* —1C **8**
Primrose Rd. *Pres* —1C **8**
Primrose St. *Chor* —7H **21**
Princes Ct. *Pen* —6F **7**
Princes Dri. *Ful* —5J **3**
Princes Reach. *Ash R* —4E **6**
Princes Rd. *Pen* —6F **7**
Prince's Rd. *Walt D* —7E **8**
Princess St. *Bam B* —5F **13**
Princess St. *Chor* —2H **25**
Princess St. *Ley* —5K **15**
Princess St. *Los H* —6B **12**
Princess St. *Pres* —5B **8**
Princess Way. *Eux* —5B **20**
Pringle Wood. *Brough* —1G **3**
Prior's Oak Cotts. *Pen* —7G **7**
Priory Clo. *Ley* —4A **16**
Priory Clo. *Pen* —6G **7**
Priory Cres. *Pen* —6G **7**
Priory La. *Pen* —7F **7**
Priory St. *Ash R* —4H **7**
Progress St. *Chor* —7J **21**
Prospect Av. *Los H* —5B **12**
Prospect Pl. *Ash R* —3F **7**
Prospect Pl. *Pen* —1J **11**
Prospect Vw. *Los H* —6B **12**
Pump Ho. La. *Ley* —1B **18**
Pump St. *Pres* —4A **8**

Quarry Rd. *Chor* —2J **25**
Queens Ct. Ful —1H **7**
(off Queens Rd.)
Queenscourt Av. *Pen* —3J **11**
Queensdale Clo. *Walt D* —1E **12**
Queen's Dri. *Ful* —5H **3**
Queensgate. *Chor* —1F **25**
Queen's Gro. *Chor* —7G **21**
Queen's Lancashire Regiment Mus.
　(off Watling St. Rd.) —7B **4**
Queens Retail Pk. *Pres* —5B **8**
Queen's Rd. *Chor* —7F **21**
Queens Rd. *Ful* —1H **7**

Queen's Rd. *Walt D* —7E **8**
Queen St. *Los H* —6B **12**
Queen St. *Pres* —5B **8**
Queen St. E. *Chor* —2H **25**
Queensway. *Ash R* —2D **6**
Queensway. *Bam B* —4E **12**
Queensway. *Eux* —5C **20**
Queensway. *Ley* —7G **15**
Queensway. *Pen* —6F **7**
Queensway Clo. *Pen* —6F **7**
Quin St. *Ley* —5J **15**

Radburn Brow. *Clay W* —3F **17**
Radburn Clo. *Clay W* —3F **17**
Radnor St. *Pres* —4J **7**
Raglan Rd. Ash R —2H **7**
(off Raglan St.)
Raglan St. *Ash R* —2H **7**
Raikes Rd. *Pres* —3C **8**
Railway Rd. *Chor* —6H **21**
Railway St. *Chor* —1H **25**
Railway St. *Ley* —4K **15**
Railway Ter. *Cop* —7D **24**
Raleigh Rd. *Ful* —5J **3**
Ramsey Av. *Pres* —1D **8**
Ranaldsway. *Ley* —6F **15**
Ranglet Rd. *Bam B* —6H **13**
Rangletts Av. *Chor* —2G **25**
Ranglit Av. *Lea* —3A **6**
Ratten La. *Hut* —2A **10**
Ravenhill Dri. *Chor* —6G **21**
Ravensthorpe. *Chor* —6E **20**
Raven St. *Pres* —2C **8**
Ravenswood. *Rib* —2E **8**
Rawcliffe Dri. *Ash R* —4C **6**
Rawcliffe Rd. *Chor* —1G **25**
Rawlinson La. *Hth C* —6J **25**
Rawstorne Rd. *Pen* —7F **7**
Rectory Clo. *Chor* —7G **21**
Red Bank. *Chor* —3H **25**
Redcar Av. *Ing* —7D **2**
Red Cross St. *Pres* —5J **7**
Redhill. *Hut* —4A **10**
Redhill Gro. *Chor* —4J **21**
Red Ho. La. *E'ston* —2D **22**
Red La. *E'ston* —1F **23**
Redmayne St. *Pres* —4D **8**
Red Rose Dri. *Ley* —2H **15**
Redsands Dri. *Ful* —6D **4**
Red Scar Ind. Est. *Rib* —6G **5**
(in two parts)
Redwood Av. *Ley* —5G **15**
Reedfield. *Bam B* —2G **17**
Reedfield Pl. *Bam B* —7F **13**
Reeveswood. *E'ston* —2D **22**
Regency Av. *Los H* —6D **12**
Regent Ct. *Ful* —6J **3**
Regent Dri. *Ful* —7H **3**
Regent Gro. *Ful* —6J **3**
Regent Pk. *Ful* —5J **3**
Regent Rd. *Chor* —1F **25**
Regent Rd. *Ley* —5H **15**
Regent Rd. *Walt D* —1D **12**
Regent St. *Cop* —7C **24**
Regent St. *Pres* —6K **7**
Regentsway. *Bam B* —4E **12**
Regents Way. *Eux* —5B **20**
Reigate. *Chor* —4K **21**
Reiver Rd. *Ley* —3E **14**
Renshaw Dri. *Walt D* —3E **12**
Rhoden Rd. *Ley* —5E **14**
Rhodesway. *Hogh* —3K **13**
Ribble Bank. *Pen* —6F **7**
Ribble Bank St. *Pres* —5J **7**
Ribble Brook Ho. *Pres* —3J **7**
Ribble Clo. *Pen* —1J **11**
Ribble Clo. *Pres* —6J **7**
Ribble Ct. *Ash R* —3G **7**
Ribble Ct. *Pres* —6H **7**
Ribble Cres. *Walt D* —6C **8**
Ribble Hall. Pres —3K **7**
(off Ashmoor St.)
Ribble Ho. Pres —4D **8**
(off Cliffe Ct.)
Ribble Rd. *Ley* —6F **15**
Ribblesdale Dri. *Grims* —3J **5**
Ribblesdale Pl. *Chor* —1H **25**
Ribblesdale Pl. *Pres* —6K **7**
Ribble St. *Pres* —5J **7**

Ribbleton Av. *Pres & Rib* —3D **8**
Ribbleton Hall Cres. *Rib* —1F **9**
Ribbleton Hall Dri. *Rib* —1F **9**
Ribbleton La. *Pres* —4B **8**
Ribbleton Pl. *Pres* —4B **8**
Ribbleton St. *Pres* —4B **8**
Ribby Pl. *Ash R* —3D **6**
Richmond Ct. *Ley* —5D **14**
Richmond Ho. *Pres* —5A **8**
  (off Pembroke Pl.)
Richmond Rd. *Chor* —2J **25**
Richmond Rd. *E'ston* —1E **22**
Richmond St. *Pres* —5B **8**
Ridgeford Gdns. *Ful* —6H **3**
Ridgemont. *Ful* —5G **3**
Ridge Rd. *Chor* —1J **25**
Ridgeway. *Pen* —1J **11**
Ridings, The. *Whit W* —1G **21**
Riding St. *Pres* —3K **7**
Ridley La. *Maw* —6A **22**
Ridley Rd. *Ash R* —2G **7**
Rigby St. *Pres* —3C **8**
Riley Clo. *Ley* —6J **15**
Ringway. *Chor* —1E **24**
Ring Way. *Pres* —5J **7**
Ringwood Rd. *Pres* —2C **8**
Ripon St. *Pres* —3H **7**
Ripon Ter. *Pres* —3F **9**
River Heights. *Los H* —5C **12**
River Pde. *Pres* —6H **7**
Riversedge Rd. *Ley* —6E **14**
Riverside. *Bam B* —6E **12**
Riverside. *Pres* —7J **7**
  (in two parts)
Riverside Av. *Far M* —2G **15**
Riverside Clo. *Far M* —2G **15**
Riverside Ter. *Far M* —2G **15**
River St. *Pres* —5J **7**
Riversway. *Ash R* —4A **6**
Riversway Bus. Village. *Ash R*
  —4E **6**
Riversway Enterprise Workshops.
  Ash R —4C **6**
Riversway Managed Workshops.
  Ash R —4D **6**
Riversway Motor Pk. *Ash R* —4C **6**
River Way Clo. *Los H* —5D **12**
Rivington Rd. *Chor* —6J **21**
Roberts St. *Chor* —1G **25**
Robin Clo. *Char R* —5B **24**
Robin Hey. *Ley* —5D **14**
Robin Ho. *Pres* —4J **7**
  (off Rodney St.)
Robinson St. *Ful* —1H **7**
Robin St. *Pres* —3D **8**
Rock Villa Rd. *Whit W* —6G **17**
Rodney St. *Pres* —4J **7**
Roebuck St. *Ash R* —2G **7**
Roeburn Hall. *Pres* —4J **7**
Roe Hey Dri. *Cop* —6D **24**
Roman Rd. *Pres* —5B **8**
Roman Way. *Rib* —5J **5**
Roman Way Ind. Est. *Rib* —5J **5**
Romford Rd. *Pres* —2C **8**
Ronaldsway. *Ley* —6F **15**
Ronaldsway. *Pres* —1C **8**
Ronwood Ct. *Ash R* —4F **7**
Rookery Clo. *Chor* —2E **24**
Rookery Clo. *Pen* —3K **11**
Rookery Dri. *Pen* —3K **11**
Rook St. *Pres* —2B **8**
Rookwood. *E'ston* —2D **22**
Rookwood Av. *Chor* —5G **21**
Roseacre Pl. *Ash R* —3C **6**
Rose Av. *Ash R* —1G **7**
Rosebank. *Lea* —3A **6**
Roseberry Av. *Cot* —6C **2**
Rose Clo. *Ley* —4C **16**
Rose Cotts. *Whit W* —2H **21**
Rosedene Clo. *Cot* —6C **2**
Rose Fold. *Pen* —1H **11**
Rose Hill. *Eux* —3A **20**
Rose La. *Pres* —1C **8**
Rose Lea. *Ful* —5D **4**
Rosemary Ct. *Pen* —3G **11**
Rosemeade Av. *Los H* —5B **12**
Rose St. *Far* —3K **15**
Rose St. *Pres* —5A **8**
Rose Ter. *Ash R* —3F **7**
Roseway. *Ash R* —3E **6**

Rosewood. *Cot* —6C **2**
Rosewood Av. *High W* —2J **13**
Rosewood Dri. *High W* —2H **13**
Roshaw. *Grims* —2K **5**
Rosklyn Rd. *Chor* —1J **25**
Rossall Clo. *Hogh* —1K **13**
Rossall Dri. *Ful* —7G **3**
Rossall Rd. *Chor* —6J **21**
Rossall Rd. *Ful* —7G **3**
Rossall St. *Ash R* —3G **7**
Rostrevor Clo. *Ley* —5D **14**
Rotherwick Av. *Chor* —1F **25**
Rothwell Ct. *Ley* —4J **15**
Rothwell Cres. *Rib* —7F **5**
Rothwell Lodge. *Rib* —7F **5**
  (off Grange Av.)
Rough Hey Pl. *Ful* —4H **5**
Rough Hey Rd. *Grims* —4H **5**
Round Acre. *Pen* —4A **12**
Round Mdw. *Ley* —5E **14**
Roundway Down. *Ful* —3G **3**
Round Wood. *Pen* —5F **7**
Rowan Av. *Rib* —7G **5**
Rowan Clo. *Pen* —2F **11**
Rowan Cft. *Clay W* —5E **16**
Rowangate. *Ful* —4C **4**
Rowan Gro. *Chor* —4G **21**
Rowberrow Clo. *Ful* —5D **4**
Roworth Clo. *Walt D* —2E **12**
Rowton Heath. *Ful* —4G **3**
Royal Av. *Ful* —5J **3**
Royal Av. *Ley* —7G **15**
Royalty Av. *New L* —5E **10**
Royalty Gdns. *New L* —5D **10**
Royalty La. *New L* —5D **10**
Royal Umpire Touring Pk. *Crost*
  —4A **18**
Royle Rd. *Chor* —7F **21**
Royton Dri. *Whit W* —2G **21**
Rufford Clo. *Chor* —5F **25**
Rufus St. *Pres* —2C **8**
Rundle Rd. *Ful* —1H **7**
Runshaw Hall La. *Eux* —2J **19**
Runshaw La. *Eux* —5F **19**
Rushy Hey. *Los H* —5A **12**
Ruskin Av. *Ley* —5J **15**
Ruskin St. *Pres* —6B **8**
Rusland Dri. *Hogh* —1K **13**
Russell Av. *Ley* —6A **16**
Russell Av. *Pres* —3G **9**
Russell Sq. *Chor* —6H **21**
Russell Sq. W. *Chor* —6H **21**
Rutland Av. *Walt D* —2D **12**
Rutland St. *Pres* —4C **8**
Ryan Clo. *Ley* —5G **15**
Rydal Av. *Pen* —2G **11**
Rydal Av. *Walt D* —4D **12**
Rydal Clo. *Ful* —7C **4**
Rydal Pl. *Chor* —2F **25**
Rydal Rd. *Pres* —2D **8**
Ryddingwood. *Pen* —6F **7**
Ryden Av. *Ley* —5A **16**
Ryecroft. *H'pey* —7K **17**
Ryefield Av. *Pen* —3H **11**
Ryelands Cres. *Ash R* —4C **6**
Rye St. *Pres* —3A **8**
Rylands Rd. *Chor* —1F **25**

Sackville St. *Chor* —1J **25**
Sagar St. *E'ston* —2E **22**
Sage Ct. *Pen* —3G **11**
Sage La. *Pres* —1B **8**
St Aidan's Pk. *Bam B* —3E **12**
St Aidan's Rd. *Bam B* —3E **12**
St Albans Pl. *Pres* —4B **8**
St Ambrose Ter. *Ley* —4K **15**
St Andrew's Av. *Ash R* —2E **6**
St Andrews Clo. *Eux* —3B **20**
St Andrew's Clo. *Ley* —7J **15**
St Andrew's Rd. *Pres* —2A **8**
St Andrews Way. *Ley* —6J **15**
St Anne's Rd. *Chor* —1J **25**
St Anne's Rd. *Ley* —3A **16**
St Anne's St. *Pres* —2A **8**
St Anthony's Clo. *Ful* —7G **3**
St Anthony's Cres. *Ful* —7G **3**
St Anthony's Dri. *Ful* —7G **3**
St Anthony's Rd. *Pres* —2A **8**

St Austin's Pl. *Pres* —5A **8**
St Austin's Rd. *Pres* —5A **8**
St Barnabas Pl. *Pres* —3A **8**
St Catherines Clo. *Ley* —4A **16**
St Catherine's Dri. *Ful* —7G **3**
St Chad's Rd. *Pres* —3C **8**
St Christine's Av. *Far* —2A **16**
St Christopher's Rd. *Pres* —2A **8**
St Clares Av. *Ful* —5A **4**
St Clements Av. *Far* —3A **16**
St Cuthbert's Clo. *Ful* —1H **7**
St Cuthberts Rd. *Los H* —4A **12**
St Cuthbert's Rd. *Pres* —2A **8**
St David's Rd. *Ley* —4A **16**
St David's Rd. *Pres* —2A **8**
St Francis Clo. *Ful* —4A **4**
St Georges Clo. *Chor* —1H **25**
  (off Halliwell St.)
St George's Rd. *Pres* —2K **7**
St George's Shop. Cen. *Pres* —5K **7**
  —5E **10**
St Georges St. *Chor* —1G **25**
St Gerrard's Rd. *Los H* —4A **12**
St Gregory's Pl. *Chor* —2B **8**
St Gregory's Pl. *Chor* —3G **25**
St Helen's Rd. *Whit W* —5G **17**
St Hilda's Clo. *Chor* —4G **25**
St Ignatius Pl. *Pres* —4A **8**
St Ignatius Sq. *Pres* —4A **8**
St Ives Cres. *Pres* —7E **2**
St James Clo. *Los H* —5B **12**
St James Ct. *Los H* —5B **12**
St James Gdns. *Ley* —6C **14**
St James Lodge. *Ley* —6D **14**
St James' Rd. *Pres* —2K **7**
St James's Pl. *Chor* —1J **25**
St James's St. *Chor* —1J **25**
St John's Clo. *Whit W* —7F **17**
St John's Grn. *Ley* —5G **15**
St John's Pl. *Pres* —5A **8**
St John's Rd. *Walt D* —7D **8**
St John's Shop. Cen. *Pres* —4A **8**
  (off Lancaster Rd.)
St Joseph's Pl. *Chor* —6H **21**
St Joseph's Ter. *Pres* —3C **8**
St Jude's Av. *Far* —2A **16**
St Jude's Av. *Walt D* —4D **12**
St Leonard's Clo. *Ing* —1E **6**
St Luke's Pl. *Pres* —3C **8**
St Margarets Clo. *Ing* —7E **2**
St Margarets Rd. *Ley* —4A **16**
St Mark's Pl. E. *Pres* —4H **7**
St Mark's Pl. W. *Pres* —4H **7**
St Mark's Rd. *Pres* —4H **7**
St Marlowes Av. *Ley* —3A **16**
St Martin's Rd. *Pres* —2A **8**
St Mary's Av. *Walt D* —4D **12**
St Mary's Clo. *Pres* —4C **8**
St Mary's Clo. *Walt D* —4D **12**
St Mary's Ct. *Pres* —4B **8**
St Mary's Ga. *Pres* —4A **20**
St Mary's Rd. *Bam B* —4E **12**
St Mary's St. *Pres* —4B **8**
St Mary's St. N. *Pres* —4B **8**
St Mary's Wlk. *Chor* —7G **21**
St Michael's Clo. *Chor* —6F **21**
St Michael's Rd. *Ley* —3A **16**
St Michael's Rd. *Pres* —2A **8**
St Oswald's Clo. *Pres* —2C **8**
St Patrick's Pl. *Walt D* —1E **12**
St Paul's Av. *Pres* —3A **8**
St Paul's Clo. *Far M* —6K **11**
St Paul's Clo. *Wheel* —7K **17**
St Paul's Ct. *Pres* —4A **8**
St Paul's Rd. *Pres* —2A **8**
St Pauls Sq. *Pres* —4A **8**
St Peter's Clo. *Pres* —4K **7**
  (off St Peter's St.)
St Peter's Sq. *Pres* —4J **7**
St Peter's St. *Chor* —6J **21**
St Peter's St. *Pres* —4K **7**
St Philip's Rd. *Pres* —2A **8**
St Saviour's Clo. *Bam B* —6F **13**
St Stephen's Rd. *Pres* —2A **8**
St Theresa's Dri. *Ful* —7G **3**
St Thomas' Pl. *Pres* —3K **7**
St Thomas Rd. *Pres* —3K **7**
St Thomas's Rd. *Chor* —7F **21**
St Thomas St. *Pres* —3K **7**
St Vincents Rd. *Ful* —6J **3**
St Walburge Av. *Ash R* —4J **7**

St Walburge's Gdns. *Ash R* —4H **7**
St Wilfrid St. *Pres* —5K **7**
Salisbury Rd. *Pres* —5H **7**
Salisbury St. *Chor* —1H **25**
Salisbury St. *Pres* —3D **8**
Salmon St. *Pres* —5C **8**
Salter St. *Pres* —3K **7**
Salt Pit La. *Maw* —4B **22**
Salwick Pl. *Ash R* —3C **6**
Samuel St. *Pres* —4D **8**
Sanderson La. *Hesk* —7C **22**
Sanderson Way. *Cop* —7D **24**
Sandfield St. *Ley* —5K **15**
Sandgate. *Chor* —3H **25**
Sandham St. *Chor* —7H **21**
Sandown Ct. *Pres* —5A **8**
Sandridge Av. *Chor* —1F **25**
Sandringham Av. *Ley* —5A **16**
Sandringham Pk. Dri. *New L*
  —5E **10**
Sandringham Rd. *Chor* —1F **25**
Sandringham Rd. *E'ston* —1E **22**
Sandringham Rd. *Walt D* —2D **12**
Sandringham Way. *Cot* —5C **2**
Sandsdale Av. *Ful* —6C **4**
Sandwick Clo. *Chor* —4K **3**
Sandybrook Clo. *Ful* —6E **4**
Sandycroft. *Rib* —2F **9**
Sandyfields. *Cot* —5C **2**
Sandyforth La. *L Grn* —4E **2**
Sandygate La. *Brough* —1F **3**
Sandy La. *Clay W* —3G **17**
Sandy La. *Ley* —6J **15**
Sandy La. *Lwr B & Cot* —3B **2**
Sandy Pl. *Ley* —6J **15**
Sarscow La. *Ley* —6A **18**
Saul St. *Pres* —4K **7**
Saunders Clo. *Hut* —3B **10**
Saunder's La. *Hut* —4C **10**
Saunders M. *Chor* —5G **25**
Savick Av. *Lea* —3B **6**
Savick Clo. *Bam B* —5F **13**
Savick Ct. *Ful* —7H **3**
Savick Rd. *Ful* —7H **3**
Savick Way. *Ash R & Lea* —1C **6**
Saville St. *Chor* —3G **25**
Savoy St. *Pres* —5J **7**
Sawley Cres. *Rib* —2F **9**
Saxon Hey. *Ful* —1G **7**
Scarlet St. *Chor* —1J **25**
Scawfell Rd. *Chor* —3F **25**
Sceptre Way. *Bam B* —7H **13**
Schleswig St. *Pres* —4A **8**
Schleswig Way. *Ley* —5E **14**
Scholars Grn. *Lea* —3A **6**
School Fld. *Bam B* —1F **17**
School Ho. M. *Chor* —1J **25**
School La. *Bam B* —3E **12**
School La. *Eux* —4B **20**
School La. *Ley* —4H **15**
School La. *Los H* —5K **11**
School La. *M Side* —5C **14**
School La. *Whit W* —7F **17**
School La. *Bam B* —3F **13**
School St. *Far* —4K **15**
School St. *Pres* —5J **7**
Scotforth Rd. *Pres* —4C **8**
Scott's Wood. *Ful* —5H **3**
Sedberg St. *Ful* —1H **7**
Sedgwick St. *Pres* —3A **8**
Seedlee Rd. *Bam B* —7G **13**
Seed St. *Pres* —4K **7**
Sefton Rd. *Walt D* —2D **12**
Selborne St. *Pres* —6A **8**
Selby St. *Pres* —3H **7**
Selkirk Dri. *Walt D* —3D **12**
Sellers St. *Pres* —3C **8**
Sephton St. *Los H* —5A **12**
Sergeant St. *Bam B* —5F **13**
Seven Acres. *Bam B* —1G **17**
Sevenoaks. *Chor* —4G **25**
Seven Stars Rd. *Ley* —7F **15**
Severn Dri. *Walt D* —3D **12**
Severn Hill. *Ful* —3G **3**
Severn Ho. *Pres* —4D **8**
  (off Cliffe Ct.)
Seymour Clo. *Pres* —2H **7**
Seymour Rd. *Ash R* —1G **7**
Seymour St. *Chor* —1H **25**
Shade La. *Chor* —6H **25**

Shady La.—Thistlecroft

Shady La. *Bam B & Ley* —1B **16**
Shaftesbury Av. *New L* —5D **10**
Shaftesbury Av. *Pen* —6F **7**
Shaftesbury Pl. *Chor* —7F **21**
Shakespeare Rd. *Pres* —3D **8**
(in two parts)
Shakespeare Ter. *Chor* —5H **21**
Shalgrove Fld. *Ful* —4G **3**
Sharoe Bay Ct. *Ful* —5K **3**
Sharoe Grn. La. *Ful* —4J **3**
Sharoe Grn. La. S. *Ful* —7A **4**
Sharoe Grn. Pk. *Ful* —6A **4**
Sharoe Mt. Av. *Ful* —4K **3**
Sharratt's Path. *Char R* —4D **24**
Shawbrook Clo. *Eux* —2A **20**
Shaw Brook Rd. *Ley* —1F **19**
Shaw Brow. *Whit W* —7F **17**
Shaw Hill. *Whit W* —1F **21**
Shaw Hill Dri. *Whit W* —1F **21**
Shaw Hill Golf & Country Club.
—1E **20**
Shaw Hill St. *Chor* —1G **25**
Shaw St. *Pres* —3A **8**
Sheep Hill La. *Clay W* —4D **16**
(in two parts)
Sheep Hill La. *New L* —6D **10**
Sheffield Dri. *Lea* —2B **6**
Sheldon Ct. Pres —3K **7**
(off Thorpe Clo.)
Shelley Dri. *E'ston* —3F **23**
Shelley M. *Ash R* —3G **7**
Shelley Rd. *Ash R* —2G **7**
Shepherd St. *Pres* —5A **8**
Shepherds Way. *Chor* —7H **21**
Sheraton Pk. *Ing* —5E **2**
Sherborne Lodge. Rib —7F **5**
(off Grange Av.)
Sherbourne Cres. *Pres* —1B **8**
Sherbourne St. *Chor* —1H **25**
Sherburn Rd. *Pen* —2J **11**
Sherdley Rd. *Los H* —6B **12**
Sherwood Pl. *Chor* —7H **21**
Sherwood Way. *Ful* —5A **4**
Shire Bank Cres. *Ful* —6J **3**
Shop La. *High W* —1H **13**
Shuttle St. *Pres* —4B **8**
Shuttleworth Rd. *Pres* —2K **7**
Shuttling Fields La. *Bam B* —4G **13**
(in two parts)
Sibbering Brow. *Char R* —7A **20**
Sidgreaves La. *Lea T* —6A **2**
Silsden Av. *Rib* —6D **4**
Silverdale Clo. *Ley* —1K **19**
Silverdale Dri. *Rib* —6D **4**
Silverdale Rd. *Chor* —1J **25**
Silvester Rd. *Chor* —2G **25**
Simmons Av. *Walt D* —2B **12**
Simpson St. *Pres* —4K **7**
Singleton Clo. *Ful* —4K **3**
Singleton Row. *Pres* —3K **7**
Singleton Way. *Ful* —4K **3**
Sion Clo. *Rib* —7F **5**
Sion Hill. *Rib* —7F **5**
Sir Tom Finney Way. *Ful & Pres*
—2B **8**
Six Acre La. *Longt* —7A **10**
Sizehouse St. *Pres* —4K **7**
Sizer St. *Pres* —3K **7**
Skeffington Rd. *Pres* —2B **8**
Skip La. *Hut* —2A **10**
Skipton Clo. *Bam B* —3F **13**
Skipton Cres. *Rib* —6E **4**
Slade St. *Pres* —5J **7**
Slaidburn Pl. *Rib* —2G **9**
Slaidburn Rd. *Rib* —2F **9**
Slater La. *Ley* —6C **14**
(in three parts)
Smalley Cft. *Pen* —2K **11**
Smith Clo. *Grims* —2J **5**
Smith Cft. *Ley* —6D **14**
Smithills Clo. *Chor* —6J **21**
Smith St. *Bam B* —5F **13**
Smith St. *Chor* —2H **25**
Smith St. *Whit W* —6G **17**
Smithy Brow. *Wrigh* —7E **22**
Smithy Clo. *Brin* —1K **17**
Smithy La. *Brin* —1K **17**
Smithy St. *Bam B* —5E **12**
Snipewood. *E'ston* —2D **22**
Snowdrop Clo. *Ley* —4C **16**

Snow Hill. *Pres* —4K **7**
Sod Hall La. *New L & Midg H*
—1C **14**
Sod Hall Rd. *New L* —7E **10**
Sollam's Clo. *Bam B* —3F **13**
Solway Clo. *Pen* —2J **11**
Somersby Clo. *Walt D* —2E **12**
Somerset Av. *Chor* —6G **21**
Somerset Pk. *Ful* —4F **3**
Somerset Rd. *Ley* —4K **15**
Somerset Rd. *Pres* —3A **8**
Sorrel Ct. *Pen* —3G **11**
South Av. *Chor* —2H **25**
South Av. *New L* —5D **10**
Southbrook Rd. *Ley* —5H **15**
S. Cliff St. *Pres* —6J **7**
Southdowns Rd. *Chor* —2H **25**
South Dri. *Ful* —4J **3**
South End. *Pres* —7J **7**
Southern Av. *Pres* —6C **8**
Southern Pde. *Pres* —6B **8**
Southey Clo. *Ful* —4K **3**
Southfield Dri. *New L* —6D **10**
Southgate. *Ful* —6H **3**
Southgate. *Pres* —3K **7**
Southgates. *Char R* —5B **24**
South Gro. *Ful* —2J **3**
Southlands Av. *Los H* —4C **12**
Southlands Dri. *Ley* —7D **14**
S. Meadow La. *Pres* —6J **7**
S. Meadow St. *Pres* —4A **8**
Southport Rd. *Chor* —6C **20**
Southport Rd. *Crost & Ley*
—5A **18**
Southport Ter. *Chor* —1J **25**
S. Ribble Ind. Est. *Walt D* —7C **8**
South Ribble Mus. & Exhibition
Cen. —6J **15**
S. Ribble St. *Walt D* —6C **8**
South Rd. *Cop* —7C **24**
Southside. *Eux* —4A **20**
South Ter. *Eux* —3B **20**
South Vw. *Los H* —6A **12**
(School La.)
South Vw. *Los H* —6B **12**
(Watkin La.)
S. View Ter. *Ley* —6J **15**
Spa Rd. *Pres* —4H **7**
Spa St. *Pres* —4H **7**
Spendmore. *Cop* —6D **24**
Spendmore La. *Cop* —7B **24**
Spey Clo. *Ley* —6G **15**
Spinners Sq. *Bam B* —6E **12**
Spinney Brow. *Rib* —7D **4**
Spinney Clo. *New L* —5D **10**
Spinney Clo. *Whit W* —1F **21**
Spinney, The. *Chor* —4G **21**
Spinney, The. *Pen* —2D **10**
Spires Gro. *Cot* —6C **2**
Spring Bank. *Pres* —5J **7**
Springcroft. *Far* —3A **16**
Springfield Ind. Est. Pres —3J **7**
(off Eastham St.)
Springfield Rd. *Chor* —7G **21**
Springfield Rd. *Cop* —7C **24**
Springfield Rd. *Ley* —7F **15**
Springfield Rd. N. *Cop* —7C **24**
Springfield St. *Pres* —3J **7**
Spring Gdns. *Ley* —6H **15**
Spring Gdns. *Pen* —3K **11**
Spring Mdw. *Ley* —5C **16**
Spring M. *Whit W* —1J **21**
Springsands Clo. *Ful* —6E **4**
Springs Cres. *Whit W* —2J **21**
Springs Rd. *Chor* —5H **21**
Spring St. *Ley* —5K **15**
Springwood Clo. *Walt D* —2A **12**
Springwood Dri. *Chor* —3J **25**
Spurrier St. *Ley* —2J **15**
Square, The. *Far* —4K **15**
Square, The. *Walt D* —7F **9**
Squires Clo. *Hogh* —3K **13**
Squires Ga. Rd. *Ash R* —1G **7**
Squires Rd. *Pen* —6G **7**
Squires Wood. *Ful* —5D **4**
Squirrel Fold. *Rib* —2F **9**
Squirrel's Chase. *Los H* —6A **12**
Stackcroft. *Clay W* —4E **16**
Stafford Rd. *Pres* —3A **8**
Staining Av. *Ash R* —3D **6**

Stamford Dri. *Whit W* —2G **21**
Standish St. *Chor* —1H **25**
Stanhope St. *Pres* —2H **7**
Stanifield Clo. *Far* —3K **15**
Stanifield La. *Far & Los H* —4K **15**
Stanley Av. *Far* —2A **16**
Stanley Av. *Hut* —3B **10**
Stanley Av. *Pen* —7J **7**
Stanley Cft. *Wood* —1F **3**
Stanleyfield Clo. *Pres* —3A **8**
Stanleyfield Rd. *Pres* —3A **8**
Stanley Fold. *Los H* —5K **11**
Stanley Gro. *Pen* —1E **10**
Stanley Pl. *Chor* —7G **21**
Stanley Pl. *Pres* —5J **7**
Stanley Rd. *Far* —2A **16**
Stanley St. *Chor* —1J **25**
Stanley St. *Ley* —5K **15**
Stanley St. *Pres* —4B **8**
Stanley Ter. *Pres* —5J **7**
Stanning Clo. *Ley* —6G **15**
Stanning St. *Ley* —6G **15**
Stansford Ct. *Pen* —1H **11**
Stansted Rd. *Chor* —1E **24**
Starkie Ind. Est. *Ash R* —2H **7**
Starkie St. *Ley* —5K **15**
Starkie St. *Pres* —5K **7**
Starrgate Dri. *Ash R* —3C **6**
Startley Nook. *Wstke* —7F **11**
Station Brow. *Ley* —4K **15**
Station Rd. *Bam B* —6E **12**
(in two parts)
Station Rd. *Cop* —7D **24**
Station Rd. *Midg H* —3C **14**
Station Rd. *New L* —5D **10**
Staveley Pl. *Ash R* —2C **6**
Steeley La. *Chor* —1H **25**
Steeple Vw. *Ash R* —4H **7**
Stefano Rd. *Pres* —4C **8**
Stephendale Av. *Bam B* —5H **13**
Stephenson St. *Chor* —7J **21**
Stevenson Av. *Far* —3A **16**
Stewart St. *Pres* —4H **7**
Stiles Av. *Hut* —4A **10**
Stirling Clo. *Chor* —1J **25**
Stirling Clo. *Ley* —5A **16**
Stockdale Cres. *Bam B* —6F **13**
Stocks La. *Hesk* —5G **23**
Stocks Rd. *Ash R* —2G **7**
Stocks St. *Pres* —4J **7**
Stokes Hall Av. *Ley* —6J **15**
Stonebridge Clo. *Los H* —5C **12**
Stone Cft. *Pen* —3H **11**
Stonecroft Rd. *Ley* —7F **15**
Stonefield. *Pen* —1J **11**
Stonefold Av. *Hut* —4A **10**
Stonehouse Grn. *Clay W* —3F **17**
Stone Pk. Rd. *Brough* —1G **3**
Stoney Butts. *Lea* —3A **8**
Stoneygate. *Pres* —5A **8**
Stoney Holt. *Ley* —5C **16**
Stoney La. *Los H* —7C **12**
Stony Bank. *Brin* —1K **17**
Stonyhurst. *Chor* —4G **25**
Stour Lodge. *Ful* —5G **3**
Strand Rd. *Pres* —5H **7**
Strand St. *W. Ash R* —4G **7**
Stratfield Pl. *Ley* —5K **15**
Stratford Dri. *Ful* —7H **3**
Stratford Rd. *Chor* —7H **21**
Strathmore Gro. *Chor* —1F **25**
Strathmore Rd. *Ful* —7J **3**
Stricklands La. *Pen* —1H **11**
Strutt St. *Pres* —3B **8**
Stryands. *Hut* —4A **10**
Stuart Clo. *Rib* —1E **8**
Stuart Rd. *Rib* —1E **8**
Studfold. *Chor* —5F **21**
Studholme Av. *Pen* —3J **11**
Studholme Clo. *Pen* —3J **11**
Studholme Cres. *Pen* —2J **11**
Stump La. *Chor* —7H **21**
Sturminster Clo. *Pen* —3J **11**
Suffolk Clo. *Ley* —1G **19**
Suffolk Rd. *Pres* —3A **8**
Sulby Dri. *Rib* —6F **5**
Sulby Gro. *Rib* —6G **5**
Summerfield. *Ley* —3H **15**
Summerfield Clo. *Walt D* —3B **12**
Summers Barn. *Ful* —5E **4**

Summer Trees Av. *Lea* —1B **6**
Sumner St. *Ley* —5J **15**
Sumpter Ct. *Pen* —3K **11**
Sumpter Cft. *Pen* —3J **11**
Sunbury Av. *Pen* —2H **11**
Sunningdale. *Wood* —1F **3**
Sunnybank Clo. *Pen* —1J **11**
Sunny Brow. *Cop* —6E **24**
Sunnyhill. *Ful* —6C **4**
Surgeon's Ct. *Pres* —5K **7**
Surrey St. *Pres* —4C **8**
Sussex St. *Pres* —3A **8**
Sutcliffe St. *Chor* —1H **25**
Sutton Dri. *Lea* —4B **6**
Sutton Gro. *Chor* —3K **21**
Swallow Av. *Pen* —1J **11**
Swallow Clo. *Clay W* —5G **17**
Swallowfold. *Grims* —2K **5**
Swansea St. *Ash R* —3G **7**
Swansey La. *Clay W & Whit W*
—5G **17**
Swan St. *Pres* —4C **8**
Swill Bk. La. *Pres* —6C **8**
Sycamore Av. *Eux* —4B **20**
Sycamore Clo. *Ful* —5C **4**
Sycamore Ct. *Chor* —3F **25**
Sycamore Dri. *Pen* —2J **11**
Sycamore Rd. *Chor* —5H **21**
Sycamore Rd. *Rib* —2E **8**
(in two parts)
Syd Brook La. *Maw* —7A **18**
Syke Hill. *Pres* —5A **8**
Syke St. *Pres* —5A **8**
Sylvancroft. *Ing* —6E **2**
Sylvan Gro. *Bam B* —3G **13**
Symonds Rd. *Ful* —1J **7**

Tabley La. *High B* —2B **2**
Tag Cft. *Ing* —6D **2**
Tag Farm Ct. *Ing* —6D **2**
Tag La. *High B & Ing* —5D **2**
Talbot Dri. *Eux* —5B **20**
Talbot Ho. Chor —5G **21**
(off Lancaster Ct.)
Talbot Rd. *Ley* —4G **15**
Talbot Rd. *Pen* —7J **7**
Talbot Rd. *Pres* —5H **7**
Talbot Row. *Eux* —6B **20**
Talbot St. *Chor* —6J **21**
Talbot St. *Ful* —1H **7**
Tamar Clo. *Ley* —7K **15**
Tamar St. *Pres* —4E **8**
Tanglewood. *Ful* —6B **4**
Tanhouse La. *H'pey* —1K **21**
Tannersmith La. *Maw* —3B **22**
Tansley Av. *Cop* —7B **24**
Tanterton Hall Rd. *Ing* —5D **2**
Tanyard Clo. *Cop* —7B **24**
Tardy Ga. Trad. Cen. *Los H*
—5A **12**
Tarn Clo. *Pen* —1D **10**
Tarnhows Clo. *Chor* —3F **25**
Tatton St. *Chor* —1H **25**
Taunton St. *Pres* —3D **8**
Taylor St. *Chor* —3F **25**
Taylor St. *Pres* —6H **7**
Tay St. *Pres* —6H **7**
Teal Clo. *Ley* —7F **15**
Tees St. *Pres* —2C **8**
Teil Grn. *Ful* —5E **4**
Temperance St. *Chor* —7J **21**
Temple Ct. Pres —5K **7**
(off Cannon St.)
Temple Way. *Chor* —3G **21**
Tenby Rd. *Pres* —6A **8**
Tennyson Av. *Chor* —2G **25**
Tennyson Pl. *Walt D* —3D **12**
Tennyson Rd. *Pres* —3D **8**
(in three parts)
Tenterfield St. *Pres* —4K **7**
Terrace St. *Pres* —3C **8**
Teven St. *Bam B* —4E **12**
Thames Ho. Pres —4D **8**
(off Cliffe Ct.)
Theatre St. *Pres* —5A **8**
Thirlmere Rd. *Chor* —2E **24**
Thirlmere Rd. *Pres* —3F **9**
Thistle Clo. *Chor* —7J **21**
Thistlecroft. *Ing* —6E **2**

Thistleton Rd. *Ash R* —3C **6**
Thomas St. *Pres* —5C **8**
Thompson St. *Pres* —2D **8**
Thornfield Av. *Rib* —1F **9**
Thorngate. *Pen* —1F **11**
Thorngate Clo. *Pen* —1F **11**
Thornhill Rd. *Chor* —5H **21**
Thornhill Rd. *Ley* —6F **15**
Thornley Pl. *Rib* —1G **9**
Thornley Rd. *Rib* —1G **9**
Thornpark Dri. *Lea* —4B **6**
Thorn St. *Pres* —2C **8**
Thornton Av. *Ful* —7F **3**
Thornton Dri. *Far M* —2G **15**
Thornton Dri. *Hogh* —2K **13**
Thorntrees Av. *Lea* —3B **6**
Thorpe Clo. *Pres* —3K **7**
Threefields. *Ing* —6E **2**
Three Nooks. *Bam B* —1G **17**
Threlfall. *Chor* —5D **20**
Threlfall St. *Ash R* —3G **7**
Thropps La. *Longt* —6A **10**
Thurnham Rd. *Ash R* —4C **6**
Thurston Rd. *Ley* —5J **15**
Tiber St. *Pres* —5B **8**
Timber Brook. *Chor* —5E **20**
Tincklers La. *Maw & E'ston*
—3B **22**
Tinkerfield. *Ful* —4J **3**
Tinkler's Rd. *Chor* —2K **25**
Tinniswood. *Ash R* —3F **7**
Tintern Av. *Chor* —3H **25**
Titan Way. *Ley* —4E **14**
Tithe Barn La. *Ley & Eux* —2H **19**
Tithe Barn St. *Pres* —4A **8**
(in three parts)
Tiverton Clo. *Ful* —3K **3**
Todd La. N. *Los H* —2C **12**
Todd La. S. *Los H* —5C **12**
Tollgate. *Pen* —1J **11**
Tolsey Dri. *Hut* —3B **10**
Tom Benson Way. *Ash R* —1D **6**
Tomlinson Rd. *Ash R* —1D **6**
Tomlinson Rd. *Ley* —4H **15**
Tootell St. *Chor* —2F **25**
Top Acre. *Hut* —4A **10**
Top o' th' La. *Brin* —3J **17**
Top Rd. *Pen* —2E **9**
Tormore Clo. *H'pey* —5K **21**
Tourist Info. Cen. —5J **23**
(Charnock Richard Services)
Tourist Info. Cen. —5A **8**
(Preston)
Tower Grn. *Ful* —4K **3**
Tower La. *Ful* —4K **3**
Tower Vw. *Pen* —5G **7**
Town Brook Ho. *Pres* —3J **7**
Town Brow. *Ley* —4D **16**
Towngate. *E'ston* —7D **18**
Towngate. *Ley* —6J **15**
Towngate Ct. *E'ston* —1D **22**
Town La. *Char R* —7K **23**
Town La. *Hesk* —7E **22**
Town La. *Whit W & H'pey*
—7G **17**
Townlea Clo. *Pen* —2E **10**
Townley La. *Pen* —1A **10**
Townley St. *Chor* —1H **25**
Townsway. *Los H* —5C **12**
Trafalgar Clo. *Ash R* —1H **7**
Trafalgar St. *Chor* —6H **21**
Trafford St. *Pres* —2H **7**
Tramway La. *Bam B* —7H **13**
(in two parts)
Travers Lodge. *Rib* —7F **5**
(off Grange Av.)
Travers Pl. *Ash R* —4G **7**
Travers St. *Ash R* —4G **7**
Trawden Cres. *Rib* —7E **4**
Triangle, The. *Ful* —7J **3**
Trigge Ho. *Chor* —5G **21**
(off Lancaster Ct.)
Trinity Fold. *Pres* —4K **7**
Trinity Pl. *Pres* —4K **7**
Trinity Rd. *Chor* —1F **25**
Troon Ct. *Pen* —6E **6**
Troutbeck Pl. *Rib* —6E **4**
Trout St. *Pres* —5C **8**
Trower St. *Pres* —6B **8**

Truro Pl. *Pres* —3D **8**
Tudor Av. *Lea* —2A **6**
Tudor Av. *Pres* —4F **9**
Tudor Clo. *Ash R* —3B **6**
Tudor Cft. *Los H* —6C **12**
Tuer St. *Ley* —4H **15**
Tulketh Av. *Ash R* —3F **7**
Tulketh Brow. *Ash R* —2G **7**
Tulketh Cres. *Ash R* —3G **7**
Tulketh Rd. *Ash R* —3F **7**
Tunbridge Pl. *Pres* —3D **8**
Tunbridge St. *Pres* —3D **8**
Tunbrook Av. *Grims* —2K **5**
Tunley Holme. *Bam B* —1F **17**
Turbary, The. *Ful* —1G **7**
Turks Head Yd. *Pres* —5A **8**
Turnbury Clo. *Eux* —3B **20**
Turner Av. *Los H* —6A **12**
Turner St. *Pres* —3A **8**
Turnfield. *Ing* —5D **2**
Turnpike, The. *Ful* —5H **3**
Turpin Grn. La. *Ley* —5K **15**
Turton Dri. *Chor* —6J **21**
Tuson Dri. *Ash R* —4J **7**
Tuson Ho. *Pen* —3J **11**
Tustin Ct. *Ash R* —4G **7**
Tweed St. *Pres* —4H **7**
Two Acre La. *Pen* —4G **11**
Tyne St. *Bam B* —4F **13**
Tyne St. *Pres* —6H **7**

Ullswater Rd. *Chor* —2F **25**
Ullswater Rd. *Ful* —7C **4**
Ulnes Walton La. *Ley* —3B **18**
Underwood. *Ful* —1G **7**
Union St. *Chor* —7G **21**
Union St. *Pres* —4K **7**
Union St. *Whit W* —6G **17**
Uplands Chase. *Ful* —5F **3**

Valentines La. *Cot* —7C **2**
Valentines Mdw. *Cot* —7C **2**
Vale, The. *Ful* —6K **3**
Valley Rd. *Pen* —7G **7**
Valley Vw. *Chor* —1J **25**
Valley Vw. *Ful* —7A **4**
Valley Vw. *Walt D* —2A **12**
Varley St. *Pres* —2A **8**
Ventnor Pl. *Ful* —7E **2**
Ventnor Rd. *Chor* —2F **25**
Vernon St. *Pres* —3K **7**
Vevey St. *Ley* —5J **15**
Vicarage Clo. *Eux* —4B **20**
Vicarage Clo. *Ful* —7K **3**
Vicarage La. *Ful* —7K **3**
Vicarage La. *Sam* —3K **9**
(in two parts)
Vicarage St. *Chor* —6H **21**
Vicarsfields Rd. *Ley* —7J **15**
Victoria Ct. *Brough* —1G **3**
Victoria Ct. *Ful* —1J **7**
Victoria Mans. *Ash R* —4E **6**
Victoria Pde. *Ash R* —3F **7**
Victoria Pk. Av. *Lea* —3B **6**
Victoria Pk. Av. *Ley* —7F **15**
Victoria Pk. Dri. *Lea* —3B **6**
Victoria Quay. *Ash R* —5E **6**
Victoria Rd. *Ful* —1J **7**
Victoria Rd. *Walt D* —6C **8**
Victoria St. *Chor* —1H **25**
Victoria St. *Los H* —5B **12**
Victoria St. *Pres* —3J **7**
Victoria St. *Wheel* —7K **17**
Victoria Ter. *Chor* —6H **21**
Victoria Ter. *Ley* —6J **15**
Victoria Ter. *Los H* —5A **12**
(off Watkin La., in two parts)
Victory Wharf. *Ash R* —4F **7**
View St. *E'ston* —1E **22**
Village Cft. *Eux* —4B **20**
Village Grn. *Rib* —7F **9**
Village Grn. La. *Ing* —5D **2**
Villas, The. *Cot* —6C **2**
Villiers Ct. *Pres* —2H **7**
(in two parts)
Villiers St. *Pres* —2H **7**
(in three parts)
Vinery, The. *New L* —5D **10**

Vine St. *Chor* —6G **21**
Vine St. *Pres* —4H **7**

Waddington Rd. *Rib* —2G **9**
Wade Brook Rd. *Ley* —1B **18**
Wadham Rd. *Pres* —6B **8**
Waingate. *Grims* —2J **5**
Waingate Ct. *Grims* —2J **5**
Waldon St. *Pres* —3E **8**
Walgarth Dri. *Chor* —1E **24**
Walkdale. *Hut* —3B **10**
Walker La. *Ful* —4E **2**
Walker Pl. *Pres* —5B **8**
Walker St. *Pres* —4K **7**
Walled Garden, The. *Whit W*
—1F **21**
Wallend Rd. *Ash R* —5B **6**
Walletts Rd. *Chor* —2F **25**
Walnut Clo. *Pen* —2F **11**
Walton Av. *Pen* —2F **11**
Walton-le-Dale. *Bam B* —6D **12**
Walton's Pde. *Pres* —5J **7**
Walton Summit Ind. Est. *Bam B*
—6H **13**
Walton Summit Rd. *Bam B* —7G **13**
Walton Vw. *Pres* —4D **8**
Wanstead St. *Pres* —4E **8**
Warbury St. *Pres* —3E **8**
Warden Hall. —1H **19**
(Arts & Craft Cen.)
Wardle Clo. *Whit W* —1G **21**
Ward's End. *Pres* —5A **8**
Wards New Row. *Los H* —6A **12**
Ward St. *Chor* —1G **25**
Ward St. *Los H* —6B **12**
Warings, The. *Hesk* —4F **23**
Warner Rd. *Pres* —3D **8**
Warren, The. *Ful* —5E **4**
Warton Pl. *Chor* —7E **20**
Warton St. *Pres* —6H **7**
Warwick Clo. *Ful* —7J **3**
Warwick Ho. *Pres* —6A **8**
Warwick Rd. *E'ston* —1E **22**
Warwick Rd. *Ley* —7G **15**
Warwick St. *Pres* —4K **7**
Wasdale Clo. *Ley* —1K **19**
Washington La. *Eux* —5C **20**
Waterford Clo. *Ful* —6C **4**
Waterford Clo. *Hth C* —7K **25**
Water Head. *Ful* —1F **7**
Waterhouse Grn. *Whit W* —7F **17**
Watering Pool La. *Los H* —3B **12**
Water La. *Ash R* —3G **7**
Waterloo Ho. *Ash R* —2F **7**
Waterloo St. *Chor* —6G **21**
Waterloo Ter. *Ash R* —3G **7**
Water's Edge. *Ing* —1D **6**
Water St. *Bam B* —3E **12**
Water St. *Brin* —1K **17**
Water St. *Chor* —7G **21**
Watery La. *Ash R* —4E **6**
Watery La. *Pres* —4D **8**
Watkin La. *Los H* —5A **12**
Watkin Rd. *Clay W* —6F **17**
Watling St. Rd. *Ful* —1J **7**
Watling St. Rd. *Rib* —7C **4**
(off Churchill Rd.)
Waverley Dri. *New L* —6D **10**
Waverley Gdns. *Rib* —2E **8**
Waverley Rd. *Pres* —3D **8**
Weald, The. *Cot* —6B **2**
Weavers Brow. *Chor* —2K **25**
Webster St. *Ash R* —3G **7**
Weeton Pl. *Ash R* —3C **6**
Weirden Clo. *Pen* —4G **11**
Weld Av. *Chor* —2J **25**
Weldbank La. *Chor* —3G **25**
Weldbank St. *Chor* —3G **25**
Wellfield Av. *Ley* —5H **15**
Wellfield Bus. Pk. *Pres* —4H **7**
Wellfield Rd. *Los H* —6A **12**
Wellfield Rd. *Pres* —4H **7**
Wellington Av. *Ley* —6H **15**
Wellington Pl. *Walt D* —3D **12**
Wellington Rd. *Ash R* —3G **7**
Wellington St. *Chor* —6G **21**
Wellington St. *Pres* —4H **7**

Well Orchard. *Bam B* —1F **17**
Wells Fold Clo. *Clay W* —5G **17**
Wells St. *Pres* —3C **8**
Welsby Rd. *Ley* —6F **15**
Wembley Av. *Pen* —7F **7**
Wensley Pl. *Rib* —7D **4**
Wentworth Clo. *Pen* —6E **6**
Wentworth Dri. *Brough* —1G **3**
Werneth Clo. *Pen* —4K **11**
Wesley St. *Bam B* —5F **13**
West Av. *Ing* —5E **2**
West Bank. *Chor* —7G **21**
Westbourne Rd. *Chor* —2F **25**
Westbrook Cres. *Ing* —7E **2**
Westby Pl. *Ash R* —3D **6**
West Cliff. *Pres* —6J **7**
W. Cliff Ter. *Pres* —6J **7**
(in two parts)
West Cres. *Brough* —1G **3**
West Dri. *Ley* —3B **16**
West End. *Pen* —6E **6**
Westend Av. *Cop* —7B **24**
Westerlong. *Lea* —3B **6**
Western Dri. *Ley* —5F **15**
Westfield. *Los H* —5A **12**
Westfield Dri. *Hogh* —4K **13**
Westfield Dri. *Ley* —5F **15**
Westfield Dri. *Rib* —7D **4**
Westgate. *Ful* —6H **3**
Westgate. *Ley* —6H **15**
Westhoughton Rd. *Adl & Hth C*
—7K **25**
Westlands. *Ley* —7E **14**
Westleigh M. *Cot* —7A **2**
Westleigh Rd. *Ash R* —3D **6**
West Meadow. *Lea* —1C **6**
Westminster Pl. *E'ston* —7C **18**
Westminster Pl. *Hut* —4B **10**
Westminster Rd. *Chor* —1G **25**
Westmorland Clo. *Ley* —7G **15**
Westmorland Clo. *Pen* —1F **11**
Westmorland Ho. *Pres* —4K **7**
Weston St. *Ash R* —4H **7**
West Paddock. *Ley* —6G **15**
West Pk. Av. *Ash R* —2C **6**
West Pk. La. *Ash R* —2C **6**
West Rd. *Ful* —1K **7**
West Strand. *Pres* —4G **7**
West St. *Chor* —1G **25**
West Ter. *Eux* —3B **20**
West Vw. *Bam B* —6E **12**
West Vw. *Pres* —2C **8**
West Vw. *Wheel* —7K **17**
W. View Ter. *Pres* —4G **7**
West Way. *Chor* —6D **20**
Westway. *Ful* —7A **4**
Westway Ct. *Ful* —7A **4**
Westwell Rd. *Chor* —6H **21**
Westwood. *Ley* —4J **15**
Westwood Rd. *Bam B* —2G **17**
Wetherall St. *Ash R* —3H **7**
Whalley Rd. *Hesk* —4F **23**
Whalley St. *Bam B* —3F **13**
Whalley St. *Chor* —1G **25**
Wham Ley. *New L* —6E **10**
Wham La. *New L & Wstke* —6E **10**
Wharfedale Av. *Rib* —6E **4**
Wharfedale Rd. *Ley* —7J **15**
Wheatfield. *Ley* —7E **14**
Wheelton La. *Far* —4J **15**
Whernside Cres. *Rib* —6D **4**
Whernside Way. *Ley* —5A **16**
Whimberry Clo. *Chor* —6J **21**
Whinfield Av. *Chor* —6H **21**
Whinfield La. *Ash R* —4D **6**
Whinfield Pl. *Ash R* —4D **6**
Whinnyfield La. *Wood* —1A **2**
Whinny La. *Eux* —3C **20**
Whinsands Clo. *Ful* —6D **4**
Whins La. *Wheel* —6K **17**
Whitby Av. *Ing* —6D **2**
(in three parts)
Whitby Pl. *Ing* —6D **2**
Whitebeam Clo. *Pen* —2F **11**
Whitefield Rd. *Pen* —1E **10**
Whitefield Rd. E. *Pen* —1E **10**
Whitefield Rd. W. *Pen* —1E **10**
Whitefriar Clo. *Pen* —6E **2**
Whitegate Fold. *Char R* —5C **24**

Whiteholme Pl. *Ash R* —3C **6**
Whitelens Av. *Lea* —3A **6**
White Mdw. *Lea* —1C **6**
Whitendale Dri. *Bam B* —5F **13**
Whitethorn Clo. *Clay W* —4E **16**
Whitethorn Sq. *Lea* —3B **6**
Whitmore Dri. *Rib* —2G **9**
Whitmore Gro. *Rib* —2G **9**
Whitmore Pl. *Rib* —2G **9**
Whittam Rd. *Chor* —3F **25**
Whittendale Hall. *Pres* —3K **7**
Whittingham La. *Brough & Goos*
—1H **3**
Whittingham La. *Haig & Grims*
—1H **5**
Whittle Brow. *Cop* —7A **24**
Whittle Grn. *Wood* —1C **2**
Whittle Hill. *Wood* —1C **2**
Whittle Pk. *Clay W* —4F **17**
Whitworth Dri. *Chor* —1E **24**
Wholesome La. *New L* —7C **10**
Wigan La. *Chor & Hth C* —7H **25**
Wigan Rd. *Eux* —2A **20**
Wigan Rd. *Ley & Bam B* —7A **16**
Wignall St. *Pres* —3C **8**
Wigton Av. *Ley* —7F **15**
Wilbraham St. *Pres* —3C **8**
Wilderswood Clo. *Whit W* —4G **17**
Wildflower Dri. *Ley* —4C **16**
Wildman St. *Pres* —1J **7**
Wilkinson St. *Los H* —5B **12**
William Henry St. *Pres* —4C **8**
Williams La. *Ful* —4C **4**
William St. *Chor* —2G **25**
William St. *Los H* —5A **12**
William Young Clo. *Pres* —2C **8**
Willow Clo. *Hogh* —4K **13**
Willow Clo. *Los H* —5A **12**
Willow Clo. *Pres* —1E **10**
Willow Coppice. *Lea* —1C **6**
Willow Cres. *Ley* —3B **16**
Willow Cres. *Rib* —2D **8**
Willow Dri. *Char R* —5B **24**
Willowfield. *Clay W* —3G **17**
Willow Grn. *Ash R* —4E **6**
Willow Rd. *Chor* —5J **21**
Willow Rd. *Ley* —1B **18**
Willows, The. *Cop* —7C **24**
Willow Tree Av. *Brough* —1H **3**
Willow Tree Cres. *Ley* —5F **15**

Willow Way. *New L* —6D **10**
Wilmar Rd. *Ley* —4A **16**
Wilmot Rd. *Rib* —1E **8**
Wilton Gro. *Pen* —1E **10**
Wilton Pl. *Ley* —5K **15**
Wiltshire M. *Cot* —6B **2**
Winchester Av. *Chor* —5J **25**
Winckley Ct. *Pres* —5K **7**
Winckley Gdns. *Pres* —5K **7**
Winckley Rd. *Pres* —6H **7**
Winckley Sq. *Pres* —5K **7**
Winckley St. *Pres* —5K **7**
Windermere Av. *Far* —3J **15**
Windermere Rd. *Chor* —1J **25**
Windermere Rd. *Ful* —7C **4**
Windermere Rd. *Pres* —3G **9**
Windsor Av. *Ash R* —2F **7**
Windsor Av. *New L* —4E **10**
Windsor Av. *Pen* —2G **11**
Windsor Clo. *Chor* —1F **25**
Windsor Dri. *Ful* —5H **3**
Windsor Rd. *Chor* —1F **25**
Windsor Rd. *Chor & E'ston* —1E **22**
Windsor Rd. *Walt D* —2D **12**
Winery La. *Walt D* —7C **8**
Wingates. *Pen* —2G **11**
Winmarleigh Rd. *Ash R* —3F **7**
Winslow Clo. *Pen* —3J **11**
Winsor Av. *Ley* —6K **15**
Winster Clo. *Hogh* —1K **13**
Winter Hill Clo. *Pres* —4J **5**
Winton Av. *Ful* —5K **3**
Withington La. *Hesk* —6G **23**
Withnell Gro. *Chor* —6J **21**
Withy Ct. *Ful* —1J **7**
Withy Gro. Clo. *Bam B* —4F **13**
Withy Gro. Cres. *Bam B* —4F **13**
Withy Gro. Rd. *Bam B* —4F **13**
Withy Pde. *Ful* —7J **3**
Withy Trees Av. *Bam B* —5F **13**
Withy Trees Clo. *Bam B* —4F **13**
Witton St. *Pres* —4B **8**
Woburn Grn. *Ley* —4K **15**
Wolseley Clo. *Ley* —6J **15**
Wolseley Pl. *Pres* —5A **8**
Wolseley Rd. *Pres* —7J **7**
Woodacre Rd. *Rib* —2G **9**
Woodale Rd. *Clay W* —2F **17**
Wood Bank. *Pen* —2G **11**
Woodcock Est. *Los H* —7B **12**

Woodcock Fold. *E'ston* —1E **22**
Woodcock La. *Char R* —4G **23**
Woodcock's Ct. *Pres* —5K **7**
Woodcroft Clo. *Pen* —3G **11**
Wood End. *Pen* —4G **11**
Wood End Rd. *Clay W* —3E **16**
Woodfall. *Chor* —6F **21**
Woodfield. *Bam B* —7J **13**
Woodfield Rd. *Chor* —6G **21**
Woodford Copse. *Chor* —1D **24**
Woodgreen. *Ley* —4G **15**
Woodhart La. *E'ston* —3E **22**
Woodhouse Gro. *Pres* —5J **7**
Woodland Grange. *Pen* —2H **11**
Woodland Gro. *Pen* —7F **7**
Woodlands Av. *Bam B* —3G **13**
Woodlands Av. *Pen* —2H **11**
Woodlands Av. *Rib* —2E **8**
Woodlands Dri. *Ful* —3J **3**
Woodlands Dri. *Ley* —5H **15**
Woodlands Gro. *Grims* —2K **5**
Woodlands Mdw. *Chor* —5G **25**
Woodlands, The. *Ash R* —3C **6**
Wood La. *Hesk* —4F **23**
Wood La. *Maw* —3A **22**
Woodlea Rd. *Ley* —6H **15**
Woodman Cote. *Chor* —5F **21**
Woodplumpton La. *Brough* —1F **3**
Woodplumpton Rd. *Ful & Ash R*
—7F **3**
Woodplumpton Rd. *Wood* —2B **2**
Woods Grn. *Pres* —7J **7**
Woodside. *Chor & Eux* —4A **20**
Woodside. *Far* —2A **16**
Woodside Av. *Clay W* —5F **17**
Woodside Av. *Ful* —7J **3**
Woodside Av. *New L* —6D **10**
Woodside Av. *Rib* —1E **8**
Woodside Pl. *Chor* —4J **25**
Woodstock Clo. *Los H* —5C **12**
Woodvale. *Ley* —6C **14**
Woodville Rd. *Chor* —7G **21**
Woodville Rd. *Hth C* —7K **25**
Woodville Rd. *Pen* —3H **11**
Woodville Rd. *Pen* —3G **11**
Woodville St. *Far* —3K **15**
Woodway. *Ful* —7G **3**
Wookey Clo. *Ful* —5D **4**
Worcester Av. *Ley* —6K **15**
Worcester Pl. *Chor* —4J **25**

Worchester Gdns. *Cot* —6B **2**
Worden Clo. *Ley* —7H **15**
Worden La. *Ley* —7J **15**
Worden Rd. *Ash R* —1H **7**
Wordsworth Pl. *Walt D* —3D **12**
Wordsworth Ter. *Chor* —5H **21**
Worthing Rd. *Ing* —7E **2**
Worthy St. *Chor* —1J **25**
Wray Cres. *Ley* —1B **18**
Wren Av. *Pen* —7J **7**
Wrennalls La. *E'ston* —4C **22**
Wren St. *Pres* —3B **8**
Wrights Fold. *Ley* —6A **16**
Wright St. *Chor* —7J **21**
Wychnor. *Ing* —4F **3**
Wymundsley. *Chor* —6D **20**
Wyresdale Cres. *Rib* —7D **4**
Wyresdale Dri. *Ley* —7K **15**
Wyre St. *Ash R* —3G **7**

Yarrow Ga. *Chor* —2J **25**
Yarrow Pl. *Ley* —6F **15**
Yarrow Rd. *Chor* —1J **25**
Yarrow Rd. *Ley* —6F **15**
Yarrow Valley Pk. —6E **24**
Yates St. *Chor* —2F **25**
Yeadon Gro. *Chor* —1E **24**
Yeovil Ct. *Pres* —3D **8**
Yewlands Av. *Bam B* —4F **13**
Yewlands Av. *Ful* —5J **3**
Yewlands Av. *Ley* —5J **15**
Yewlands Cres. *Ful* —5J **3**
Yewlands Dri. *Ful* —5J **3**
Yewlands Dri. *Ley* —5H **15**
Yew Tree Av. *Eux* —3A **20**
Yew Tree Av. *Grims* —1J **5**
Yewtree Clo. *Chor* —5G **25**
Yewtree Gro. *Los H* —6A **12**
Yew Trees Av. *Rib* —7G **5**
York Av. *Ful* —7J **3**
York Clo. *Ley* —7G **15**
York Clo. *Walt D* —2D **12**
York Ho. *Pres* —5A **8**
York St. *Chor* —1H **25**
Young Av. *Ley* —5A **16**

Zetland St. *Pres* —5C **8**